15,00
quatra

RomeU e JulietA

William Shakespeare

TEXTO INTEGRAL

2ª Edição

Tradução:
F. Carlos de Almeida Cunha Medeiros
e Oscar Mendes

Os Objetivos, a Filosofia e a Missão da Editora Martin Claret

O principal Objetivo da MARTIN CLARET é continuar a desenvolver uma grande e poderosa empresa editorial brasileira, para melhor servir a seus leitores.

A Filosofia de trabalho da MARTIN CLARET consiste em criar, inovar, produzir e distribuir, sinergicamente, livros da melhor qualidade editorial e gráfica, para o maior número de leitores e por um preço economicamente acessível.

A Missão da MARTIN CLARET é conscientizar e motivar as pessoas a desenvolver e utilizar o seu pleno potencial espiritual, mental, emocional e social.

A MARTIN CLARET está empenhada em contribuir para a difusão da educação e da cultura, por meio da democratização do livro, usando todos os canais ortodoxos e heterodoxos de comercialização.

A MARTIN CLARET, em sua missão empresarial, acredita na verdadeira função do livro: o livro muda as pessoas.

A MARTIN CLARET, em sua vocação educacional, deseja, por meio do livro, claretizar, otimizar e iluminar a vida das pessoas.

Revolucione-se: leia mais para ser mais!

MARTIN CLARET

COLEÇÃO A OBRA-PRIMA DE CADA AUTOR

ROMEU E JULIETA

William Shakespeare

TEXTO INTEGRAL

MARTIN CLARET

CRÉDITOS

Título original em inglês: *Romeo and Juliet* (1594-1595)

IDEALIZAÇÃO E COORDENAÇÃO
Martin Claret

CAPA
Ilustração
Cláudio Gianfardoni

MIOLO
Revisão
Eliana de Fátima Rodrigues
Lucyana Rocha de Oliveira

Tradução
F. Carlos de Almeida Cunha
Medeiros e Oscar Mendes

Projeto Gráfico
José Duarte T. de Castro

Direção de Arte
José Duarte T. de Castro

Digitação
Conceição A. Gatti Leonardo

Editoração Eletrônica
Editora Martin Claret

Fotolitos da Capa
ERJ Informática

Papel
Off-Set, 70g/m²

Impressão e Acabamento
Paulus Gráfica

Editora Martin Claret Ltda. - Rua Alegrete, 62 – Bairro Sumaré
CEP: 01254-010 – São Paulo – SP
Tel.: (11) 3672-8144 – Fax: (011) 3673-7146

www.martinclaret.com.br / editorial@martinclaret.com.br

Agradecemos a todos os nossos amigos e colaboradores — pessoas físicas e jurídicas — que deram as condições para que fosse possível a publicação deste livro.

Impresso em 2008.

PREFÁCIO

A história do livro e a coleção "A Obra-Prima de Cada Autor"

MARTIN CLARET

Que é o livro? Para fins estatísticos, na década de 60, a UNESCO considerou o livro "uma publicação impressa, não periódica, que consta de no mínimo 49 páginas, sem contar as capas".

O livro é um produto industrial.

Mas também é mais do que um simples produto. O primeiro conceito que deveríamos reter é o de que o livro como objeto é o veículo, o suporte de uma informação. O livro é uma das mais revolucionárias invenções do homem.

A *Enciclopédia Abril* (1972), publicada pelo editor e empresário Victor Civita, no verbete "livro" traz concisas e importantes informações sobre a história do livro. A seguir, transcrevemos alguns tópicos desse estudo didático sobre o livro.

O livro na Antiguidade

Antes mesmo que o homem pensasse em utilizar determinados materiais para escrever (como, por exemplo, fibras vegetais e tecidos), as bibliotecas da Antiguidade estavam repletas de textos gravados em tabuinhas de barro cozido. Eram os primeiros "livros", depois progressivamente modificados até chegar a ser feitos — em grandes tiragens — em papel impresso mecanicamente, proporcionando facilidade de leitura e transporte. Com eles, tornou-se possível, em todas as épocas, transmitir fatos, acontecimentos históricos, descobertas, tratados, códigos ou apenas entretenimento.

Como sua fabricação, a função do livro sofreu enormes modificações dentro das mais diversas sociedades, a ponto de constituir uma mercadoria especial, com técnica, intenção e utilização determinadas. No moderno movimento editorial das chamadas sociedades de consumo, o livro pode ser considerado uma mercadoria cultural, com maior ou menor significado no contexto socioeconômico em que é publicado. Como mercadoria, pode ser comprado, vendido ou trocado. Isso não ocorre, porém, com sua função intrínseca, insubstituível: pode-se dizer que o livro é essencialmente um instrumento cultural de difusão de idéias, transmissão de conceitos, documentação (inclusive fotográfica e iconográfica), entretenimento ou ainda de condensação e acumulação do conhecimento. A palavra escrita venceu o tempo, e o livro conquistou o espaço. Teoricamente, toda a humanidade pode ser atingida por textos que difundem idéias que vão de Sócrates e Horácio a Sartre e McLuhan, de Adolf Hitler a Karl Marx.

Espelho da sociedade

A história do livro confunde-se, em muitos aspectos, com a história da humanidade. Sempre que escolhem frases e temas, e transmitem idéias e conceitos, os escritores estão elegendo o que consideram significativo no momento histórico e cultural que vivem. E assim, fornecem dados para a análise de sua sociedade. O conteúdo de um livro — aceito, discutido ou refutado socialmente — integra a estrutura intelectual dos grupos sociais.

Nos primeiros tempos, o escritor geralmente vivia em contato direto com seu público, que era formado por uns poucos letrados, já cientes das opiniões, idéias, imaginação e teses do autor, pela própria convivência que tinha com ele. Muitas vezes, mesmo antes de ser redigido o texto, as idéias nele contidas já haviam sido intensamente discutidas pelo escritor e parte de seus leitores. Nessa época, como em várias outras, não se pensava no enorme percentual de analfabetos. Até o século XV, o livro servia exclusivamente a uma pequena minoria de sábios e estudiosos que constituíam os círculos intelectuais (confinados aos mosteiros no início da Idade Média) e que tinham acesso às bibliotecas, cheias de manuscritos ricamente ilustrados.

Com o reflorescimento comercial europeu em fins do século XIV, burgueses e comerciantes passaram a integrar o mercado livreiro da época. A erudição laicizou-se, e o número de escritores aumentou, surgindo também as primeiras obras escritas em línguas que não o latim e o grego (reservadas aos textos clássicos e aos assuntos considerados dignos de atenção).

Nos séculos XVI e XVII surgiram diversas literaturas nacionais, demonstrando, além do florescimento intelectual da época, que a população letrada dos países europeus estava mais capacitada a adquirir obras escritas.

Cultura e comércio

Com o desenvolvimento do sistema de impressão de Gutenberg, a Europa conseguiu dinamizar a fabricação de livros, imprimindo, em cinqüenta anos, cerca de vinte milhões de exemplares para uma população de quase cem milhões de habitantes, a maioria analfabeta. Para a época, isso significou enorme revolução, demonstrando que a imprensa só se tornou uma realidade diante da necessidade social de ler mais.

Impressos em papel, feitos em cadernos costurados e posteriormente encapados, os livros tornaram-se empreendimento cultural e comercial: os editores passaram logo a se preocupar com melhor apresentação e redução de preços. Tudo isso levou à comercialização do livro. E os livreiros baseavam-se no gosto do público para imprimir, sobretudo, obras religiosas, novelas, coleções de anedotas, manuais técnicos e receitas.

Mas o percentual de leitores não cresceu na mesma proporção que a expansão demográfica mundial. Somente com as modificações socioculturais e econômicas do século XIX — quando o livro começou a ser utilizado também como meio de divulgação dessas modificações, e o conhecimento passou a significar uma conquista para o homem, que, segundo se acreditava, poderia ascender socialmente se lesse — houve um relativo aumento no número de leitores, sobretudo na França e na Inglaterra, onde alguns editores passaram a produzir, a preços baixos, obras completas de autores famosos. O livro era então interpretado como símbolo de liberdade, conseguida por conquistas culturais. Entretanto, na maioria dos países, não houve nenhuma grande modificação nos índices percentuais até o fim da Primeira Guerra Mundial (1914/18), quando surgiram as primeiras grandes tiragens de livros, principalmente romances, novelas e textos didáticos. O número elevado de cópias, além de baratear o preço da unidade, difundiu ainda mais a literatura. Mesmo assim, a maior parte da população de muitos países continuou distanciada, em parte porque o livro, em si, tinha sido durante muitos séculos considerado objeto raro, passível de ser adquirido somente por um pequeno número de eruditos. A grande massa da população mostrou maior receptividade aos jornais, periódicos e folhetins, mais dinâmicos e atualizados, além de acessíveis ao poder aquisitivo da grande maioria.

Mas isso não chegou a ameaçar o livro como símbolo cultural de difusão de idéias, como fariam, mais tarde, o rádio, o cinema e a televisão.

O advento das técnicas eletrônicas, o aperfeiçoamento dos métodos fotográficos e a pesquisa de materiais praticamente imperecíveis fazem alguns teóricos da comunicação de massa pensar em um futuro sem os livros tradicionais, com seu formato quadrado ou retangular, composto de folhas de papel, unidas umas às outras por um dos lados.

Seu conteúdo e suas mensagens, racionais ou emocionais, seriam transmitidos por outros meios, como, por exemplo, microfilmes e fitas gravadas.

A televisão transformaria o mundo inteiro em uma grande "aldeia" (como afirmou Marshall McLuhan), no momento em que todas as sociedades decretassem sua prioridade em relação aos textos escritos.

Mas a palavra escrita dificilmente deixaria de ser considerada uma das mais importantes heranças culturais, para todos os povos.

E no decurso de toda a sua evolução, o livro sempre pôde ser visto como objeto cultural (manuseável, com forma entendida e interpretada em função de valores plásticos) e símbolo cultural (dotado de conteúdo, entendido e interpretado em função de valores semânticos). As duas maneiras podem fundir-se no pensamento coletivo, como um conjunto orgânico (onde texto e arte se completam, como, por exemplo, em um livro de arte) ou apenas como um conjunto textual (onde a mensagem escrita vem em primeiro lugar — em um livro de matemática, por exemplo).

A mensagem (racional, prática ou emocional) de um livro é sempre intelectual e pode ser revivida a cada momento.

O conteúdo, estático em si, dinamiza-se em função da assimilação das palavras pelo leitor, que pode discuti-las, reafirmá-las, negá-las ou transformá-las. Por isso, o livro pode ser considerado um instrumento cultural capaz de liberar informação, sons, imagens, sentimentos e idéias através do tempo e do espaço.

A quantidade e a qualidade das idéias colocadas em um texto podem ser aceitas por uma sociedade, ou por ela negadas, quando entram em choque com conceitos ou normas culturalmente admitidas.

Nas sociedades modernas, em que a classe média tende a considerar o livro como sinal de *status* e cultura (erudição), os compradores utilizam-no como símbolo mesmo, desvirtuando suas funções ao transformá-lo em livro-objeto.

Mas o livro é antes de tudo funcional — seu conteúdo é que lhe confere valor (como os livros das ciências, de filosofia, religião, artes, história e geografia, que representam cerca de 75% dos títulos publicados anualmente em todo o mundo).

O mundo lê mais

No século XX, o consumo e a produção de livros aumentaram progressivamente. Lançado logo após a Segunda Guerra Mundial (1939/45), quando uma das características principais da edição de um livro eram as capas entreteladas ou cartonadas, o livro de bolso constituiu um grande êxito comercial. As obras — sobretudo *best-sellers* publicados algum tempo antes em edições de luxo — passaram a ser impressas em rotativas, como as revistas, e distribuídas às bancas de jornal. Como as tiragens elevadas permitiam preços muito baixos, essas edições de bolso popularizaram-se e ganharam importância em todo o mundo.

Até 1950, existiam somente livros de bolso destinados a pessoas de baixo poder aquisitivo; a partir de 1955, desenvolveu-se a categoria do livro de bolso "de luxo". As características principais destes últimos eram a abundância de coleções — em 1964 havia mais de duzentas nos Estados Unidos — e a variedade de títulos, endereçados a um público intelectualmente mais refinado.

A essa diversificação das categorias adiciona-se a dos pontos-de-venda, que passaram a abranger, além das bancas de jornal, farmácias, lojas, livrarias, etc. Assim, nos Estados Unidos, o número de títulos publicados em edições de bolso chegou a 35 mil em 1969, representando quase 35% do total dos títulos editados.

Proposta da coleção
"A Obra-Prima de Cada Autor"

A palavra "coleção" é uma palavra há muito tempo dicionarizada, e define o conjunto ou reunião de objetos da mesma natureza ou que têm qualquer relação entre si. Em um sentido editorial, significa o conjunto não-limitado de obras de autores diversos, publicado por uma mesma editora, sob um título geral indicativo de assunto ou área, para atendimento de segmentos definidos do mercado.

A coleção "A Obra-Prima de Cada Autor" corresponde plenamente à definição acima mencionada. Nosso principal objetivo é oferecer, em formato de bolso, a obra mais importante de cada autor, satisfazendo o leitor que procura qualidade.*

Desde os tempos mais remotos existiram coleções de livros. Em Nínive, em Pérgamo e na Anatólia existiam coleções de obras literárias de grande importância cultural. Mas nenhuma delas superou a célebre biblioteca de Alexandria, incendiada em 48 a.C. pelas legiões de Júlio César, quando estes arrasaram a cidade.

A coleção "A Obra-Prima de Cada Autor" é uma série de livros a ser composta de mais de 400 volumes, formato de bolso, com preço altamente competitivo, e pode ser encontrada em centenas de pontos-de-venda. O critério de seleção dos títulos foi o já estabelecido pela tradição e pela crítica especializada. Em sua maioria são obras de ficção e filosofia, embora possa haver textos sobre religião, poesia, política, psicologia e obras de auto-ajuda. Inauguram a coleção quatro textos clássicos: *Dom Casmurro*, de Machado de Assis; *O Príncipe*, de Maquiavel; *Mensagem*, de Fernando Pessoa, e *O Lobo do Mar*, de Jack London.

Nossa proposta é fazer uma coleção quantitativamente aberta. A periodicidade é mensal. Editorialmente, sentimo-nos orgulhosos de poder oferecer a coleção "A Obra-Prima de Cada Autor" aos leitores brasileiros. Nós acreditamos na função do livro.

---

* Atendendo a sugestões de leitores, livreiros e professores, a partir de certo número da coleção, começamos a publicar, de alguns autores, outras obras além da sua obra-prima.

William Shakespeare*

Poeta nacional da Inglaterra e maior dramaturgo da literatura universal, Shakespeare escreveu suas obras para um pequeno teatro de repertório, no final do século XVI e início do século XVII. Quatrocentos anos depois, suas peças ainda encantavam platéias em todo o mundo e são mais freqüentemente encenadas do que as de qualquer outro autor teatral.

William Shakespeare nasceu em Stratford-upon-Avon, Warwickshire, onde foi batizado em 26 de abril de 1564. Seu aniversário era tradicionalmente comemorado em 23 de abril. Provavelmente, fez seus primeiros estudos na cidade natal e, aos 18 anos, casou-se com Anne Hathaway, com quem teve três filhos. Suas atividades durante o decênio seguinte permanecem obscuras pois a primeira referência a seu prestígio como dramaturgo data de 1592. É provável que escrevia para o teatro desde três anos antes.

Shakespeare publicou, no início da carreira, dois poemas narrativos em estilo renascentista — *Venus and Adonis* (1593) e *Lucrece* (1594) — e *Sonnets* (1609), 154 sonetos que, escritos provavelmente entre 1593 e 1600, figuram entre as mais belas e importantes obras em língua inglesa. Há inúmeras evidências de que logo conquistou sucesso e fortuna com o teatro. Em 1594, era membro destacado da companhia de teatro de Lord Chamberlain, que atuava na melhor sala de espetáculos de Londres, o Globe Theatre. Supõe-se que, a partir de 1600 e durante 13 anos, Shakespeare devotou-se integralmente à dramaturgia e escreveu obras teatrais da mais alta qualidade.

---

* Fonte: Nova Enciclopédia Barsa, Encyclopaedia Britannica do Brasil Publicações Ltda., v. 13.

Obra e identidade

A obra de Shakespeare constitui-se basicamente de textos dramáticos. Os dramaturgos da época invariavelmente vendiam suas peças a alguma companhia teatral que, como proprietária, esforçava-se por manter a exclusividade sobre as obras, garantindo a exploração de uma obra enquanto ela atraísse o público. Por isso, eram raras as publicações autorizadas dos textos e o que se podia encontrar eram cópias piratas, ditadas por ex-integrantes das companhias ou anotadas precária e dissimuladamente durante os espetáculos. Algumas poucas edições provêm de manuscritos originais, geralmente confeccionadas para competir com versões de má qualidade do mesmo texto, já em circulação.

O desaparecimento dos originais manuscritos legou aos pesquisadores uma multiplicidade de versões discordantes das obras, que se tornaram objeto de inumeráveis estudos críticos e de polêmicas. Cerca de metade dos textos foi publicada em vida do autor. A primeira coletânea surgiu apenas em 1623, anos depois de sua morte, cercada de controvérsias quanto à cronologia das obras e, em conseqüência, quanto à evolução literária e ideológica do autor.

Os dados escassos obtidos sobre a formação cultural de Shakespeare, sua origem relativamente modesta e a obscuridade em que viveu, levaram uma parte dos estudiosos a pôr em dúvida a autoria das peças. Segundo os defensores dessa idéia, a familiaridade manifestada na obra com os assuntos mais diversos — idiomas, literatura, leis, história, política, geografia, além dos hábitos e linguajar da corte — seria incompatível com a história pessoal de Shakespeare. O fato de nenhum de seus manuscritos ter sobrevivido foi considerado uma evidência de que teriam sido propositalmente destruídos para ocultar a identidade do verdadeiro autor.

Os textos foram designados a nobres ingleses que, por questões familiares, não desejariam envolver-se publicamente com o teatro. Não foi possível, todavia, fundamentar tais suspeitas, já que pelo menos cinqüenta pessoas contemporâneas de Shakespeare referiram-se a ele como autor e não deixaram um único testemunho que levantasse dúvidas quanto a esse fato.

A partir do século XVIII, o conhecimento sobre os textos shakespearianos aumentou muito. Em 1871, foi publicado o primeiro volume das edições Variorum, que pretendia apresentar todas as versões e emendas conjecturais feitas até então. A série ficou incompleta, mas as pesquisas prosseguiram, não somente sobre o texto, mas também sobre as condições de produção das edições elisabetanas, a identificação dos funcionários responsáveis pela composição e revisão e seus erros mais freqüentes, a leitura comparativa de outros autores ingleses da época e outras investigações que pudessem elucidar as dúvidas.

Cronologia

Os críticos estabeleceram uma relação cronológica das peças, com base nas datas das primeiras edições *in quarto,* em notícias da época sobre as representações e na evolução do verso shakespeariano. Esses dados permitiram dividir a obra em três grandes fases, que correspondem ao período de formação (até 1595), à maturidade (entre 1600 e 1608) e aos últimos anos de vida do autor (fase que se estende até 1613).

Primeira fase

O drama *Henry VI* (1589-1592), em três partes, inicia o ciclo sobre a história da Inglaterra; segue-se *Richard III* (1592-1593), uma das peças mais famosas do dramaturgo, protagonizada pela figura demoníaca do rei Ricardo III. *The Comedy of Errors* (1592-1593; *A Comédia dos Erros),* a mais curta das peças do autor, é inspirada no comediógrafo romano Plauto e gira em torno das confusões causadas por dois pares de gêmeos; *The Taming of the Shrew* (1593-1594; *A Megera Domada)* é uma comédia de costumes; *Titus Andronicus* (1593-1594) é uma tragédia violenta, povoada de episódios sangrentos, à moda romana; e *The Two Gentlemen of Verona* (1594-1595; *Os Dois Fidalgos de Verona)* baseia-se no argumento de um longo romance espanhol em prosa. É também dessa época a primeira das grandes tragédias shakespearianas, *Romeo and Juliet* (1594-1595).

O ciclo de peças históricas continuaria com *Richard II* (1595 -1596), *King John* (1596-1597; *Rei João)* e as duas partes de *Henry IV* (1597-1598), a mais importante das peças históricas de Shakespeare, em que a ação se equilibra e se harmoniza com cenas de humor, dominadas por **Falstaff,** um dos maiores personagens criados pelo dramaturgo. Segue-se *Henry V* (1598-1599), peça sobre a guerra que, habilmente, evita cenas de batalha no palco e mostra os personagens enquanto se preparam para a vitória ou a derrota.

As comédias escritas entre 1596 e 1602 têm muito em comum. O tema é o amor e todas terminam em casamento. As histórias derivam de novelas e comédias italianas, contos ingleses e, no caso de *Midsummer Night's Dream* (1595-1596; *Sonho de Uma Noite de Verão),* da própria imaginação do autor. Com exceção de *The Merry Wives of Windsor* (1600-1601; *As Alegres Comadres de Windsor),* todas se passam em lugares imaginários, que tomam nomes conhecidos como Ilíria, Atenas, Veneza e Belmont. *The Merchant of Venice* (1596-1597; *O Mercador de Veneza)* é protagonizada por Shylock, judeu que pretende usar a justiça para uma terrível vingança contra Antônio, o mercador cristão.

Much Ado About Nothing (1598-1599; *Muito Barulho por Nada*) explora mal-entendidos surgidos em um baile de máscaras. Na bucólica *As You Like It* (1599-1600; *Como Você Quiser),* o encanto de Rosalind se contrapõe ao cinismo melancólico de Jacques. *Twelfth Night* (1601-1602; *Noite de Reis)* é provavelmente a última das grandes comédias shakespearianas. As peças enaltecem a verdade, a ordem e a generosidade sem cair no óbvio. As tramas são complexas como um jogo de xadrez. Mesmo na conclusão, a harmonia não é geral, há sempre um ou mais personagens à parte, que se retiram, ficam isolados ou permanecem como observadores.

Ainda por volta de 1599, após as peças sobre a história inglesa, Shakespeare iniciou com *Julius Caesar* (1599-1600) o ciclo das tragédias romanas. César, figura particularmente fascinante para os elisabetanos, é assassinado na primeira metade da peça, mas permanece no centro da ação por meio das atitudes e reflexões dos outros personagens.

Maturidade

As peças escritas por Shakespeare entre 1600 e 1608 têm em comum uma visão fundamentalmente pessimista e amarga da existência e a profundidade no tratamento das paixões, conflitos e contradições da natureza humana. Destacam-se as grandes tragédias: *Hamlet (*1600-1601), *Othello* (1604-1605), *King Lear* (1605-1606;

Rei Lear) e *Macbeth* (1605-1606), obras em que o magistral estudo psicológico dos protagonistas é realçado pelo equilíbrio com que o autor apresenta os outros personagens e pelo contraponto perfeito entre os diálogos e monólogos, obras-primas da linguagem poética.

Hamlet, a tragédia da dúvida, do desespero do solitário príncipe diante da violência do mundo, considerada a mais enigmática de todas as peças do poeta inglês, é também a mais representada e estudada até hoje. O forte caráter de Claudius, o vilão, torna-se um traço de valor e dá uma complexidade à trama que não poderia ser atingida com a simples representação da luta entre o bem e o mal. As aparências que enganam e o predomínio das paixões sobre a razão foram temas freqüentes na obra de Shakespeare.

Em *Othello,* as conseqüências de tais atitudes não resultam em comédia, mas em tragédia. Novamente se evidencia o cuidado do autor em construir para Iago, o vilão, uma personalidade complexa e interessante que, por meio de ardis, leva Otelo a assassinar Desdêmona por ciúmes sem fundamento. *Rei Lear* transcorre em torno do enlouquecimento de um rei, que precisa descrever uma árdua trajetória para se tornar simplesmente homem. *Macbeth* é a única peça de Shakespeare aparentemente relacionada à situação histórica da Inglaterra do século XVI. O regicídio, considerado então o pior dos crimes, é o tema central, tratado de forma extremamente poética.

A maturidade de Shakespeare se expressa igualmente nas sombrias comédias *Troilus and Cressida* (1601-1602), uma paródia do heroísmo; *All's Well That Ends Well* (1602-1603; *Tudo é Bom se Acaba Bem);* e *Measure for Measure* (1604-1605; *Medida por Medida),* cujo tom oscila entre a melancolia e a mordacidade. Apenas no século XX, no entanto, essas peças foram encenadas com freqüência e despertaram na audiência um interesse que o público elisabetano não pareceu sentir. Completam o ciclo romano *Anthony and Cleopatra* (1606-1607) e *Coriolanus* (1607-1608), sobre o irremissível fracasso e solidão final do herói. *Timon of Athens* (1607-1608; *Timão de Atenas)* mostra sinais de ter sido abandonada pelo autor, pois não se compara em qualidade a outras obras da fase madura.

Últimos anos

Por volta de 1610, Shakespeare retornou à cidade natal, onde passou seus últimos anos e escreveu suas últimas peças. O caráter experimental dessas obras — sobretudo de *The Tempest* (1611-1612; *A Tempestade)* — parece próprio de um artista em pleno vigor criativo, que esperava trabalhar ainda por muitos anos. São dessa época *Cymbeline* (1609-1610), em que Póstumo faz uma aposta acerca da castidade de sua esposa Imogen; *The Winter's Tale* (1610-1611; *Conto de Inverno),* em que o autor joga propositalmente com o comprometimento emocional da platéia com a trama, ao matar de forma inesperada personagens que já conquistaram o interesse da assistência ou ao dar um salto de 16 anos na progressão da história; a já citada *A Tempestade,* peça de ação movimentada que envolve a preparação de assassinatos, danças, cantos, uma romântica história de amor e algumas cenas de grande comicidade; e *Henry VII* (1612-1613), talvez escrita em colaboração com John Fletcher, que retoma a história da Inglaterra, dessa vez de forma mais fragmentada e episódica.

William Shakespeare morreu em Stratford-upon-Avon, onde passou seus últimos anos, em 23 de abril de 1616. Não é verdade que tenha permanecido esquecido na Inglaterra até a segunda metade do século XVII. Somente no século XVIII, entretanto, graças às edições de Rowe, Pope e Samuel Johnson, sua grandeza foi integralmente reconhecida. Ao mesmo tempo, conquistou também toda a Europa. Admirado sempre na Inglaterra, foi sobretudo no início do século XIX, com o Romantismo, que sua figura alcançou indiscutível glória universal. Não seria exagerado afirmar que nenhum outro escritor exerceu influência equiparável sobre a literatura moderna.

Cronologia histórica

1550
John Shakespeare, pai de William Shakespeare, deixa a herdade de Snitterfield para instalar-se em Stratford-upon-Avon.

1558
Casa-se com Mary Arden, filha de um pequeno proprietário rural da região. Tiveram oito filhos.

1564
23 abril. Data do provável nascimento de William Shakespeare, terceiro filho do casal.

26 abril. Batismo de William.

1568

John Shakespeare torna-se o bailio da cidade. As companhias teatrais, a "Companhia da Rainha" e a "Companhia de Worcester", dão espetáculos na Câmara Municipal de Stratford, onde são recebidas por John Shakespeare.

1576

O pai de Shakespeare solicita cota de armas. Marca este ano o declínio de sua fortuna.

1582

27 novembro. Licença de casamento de William Shakespeare com Anne Whateley, de Temple Crofton.

28 novembro. Tendo apresentado caução contra qualquer irregularidade de seu casamento, tem William Shakespeare licença de casar com Anne Hathaway, de Stratford (há confusão de nomes), filha de um proprietário rural de Shottery, nascida em 1556.

1583

26 maio. Seis meses após o casamento, batismo da filha de Shakespeare, Suzana.

1585

2 fevereiro. Batismo dos gêmeos Hamnet e Judite.

1587

A "Companhia da Rainha" e a de Leicester representam em Stratford.

Provável partida de Shakespeare para Londres.

1588

Destruição da *Armada,* frota espanhola que ameaçava desembarcar na Inglaterra.

1590-1592

Primeiras representações das três partes de *Henrique VI.*

1592

3 março. Henslowe menciona a representação de *Henrique VI,* no seu *Diário,* pela companhia de Lorde Strange, no Teatro da Rosa. Trata-se, sem dúvida, da Primeira Parte de *Henrique VI.* Em setembro, Robert Greene ataca violentamente Shakespeare em um panfleto e parodia um verso da Terceira Parte de *Henrique VI.* Em dezembro, Henry Chettle, no seu panfleto *Kind-Harts Dreame,* pede desculpas a Shakespeare pela parte que tivera na impressão do panfleto de Greene, o que prova que Shakespeare, nessa época, já gozava de uma reputação bem estabelecida de autor dramático.

1592-1593

Primeiras representações de *Ricardo III* e de *A Comédia dos Erros.*

1593

Publicação do poema *Vênus e Adônis.* Morte de Marlowe.

1593-1594

Primeiras representações de *Tito Andrônico* e de *A Megera Domada.*

1594

Publicação do poema *A Violação de Lucrécia.* Formação (no verão) da Companhia do Camarista, com a participação de Shakespeare.

3 setembro. Menção de Shakespeare em *Willobie his Avisa.*

28 dezembro. Representação de *A Comédia dos Erros,* em Gray's Inn. Morte de Kyd.

1594-1595

Primeiras representações de *Os Dois Fidalgos de Verona, Trabalhos de Amor Perdidos* e de *Romeu e Julieta.*

1595-1596

Primeiras representações de *Ricardo II* e de *Sonho de Uma Noite de Verão.* Composição dos primeiros sonetos.

1596

11 agosto. Morte aos 11 anos do único filho de Shakespeare, Hamnet. John Shakespeare obtém sua cota de armas.

1596-1597
Primeiras representações de *O Rei João* e de *O Mercador de Veneza.*

1597
Shakespeare compra *New Place* em Stratford, uma das mais belas casas da cidade, por sessenta libras.

1597-1598
Primeiras representações da Primeira Parte de *Henrique IV.*

1598
Setembro. Shakespeare representa na comédia de Ben Jonson: *Cada Qual com seu Gênio.*
7 setembro. Inscrição de *Palladis Tamia*, de Francis Meres, que contém a lista das obras de Shakespeare até aquela data. Publicação do Q1 de *Trabalhos de Amor Perdidos,* a primeira peça publicada com o nome de Shakespeare. Primeiras representações da Segunda Parte de *Henrique IV.*

1598-1599
Primeiras representações de *Muito Barulho por Nada* e de *Henrique V.* Início da construção do Globe Theatre.

1599
21 fevereiro. Shakespeare torna-se sócio do recém-inaugurado Globe Theatre. W. Jaggard publica a coleção de poemas, *O Peregrino Apaixonado,* atribuindo-a a Shakespeare. Somente cinco dos poemas lhe pertencem realmente.

1599-1600
Primeiras representações de *Júlio César,* de *Como Você Quiser* e de *Noite de Reis.*

1600
23 agosto. O nome de Shakespeare aparece pela primeira vez no *Registro dos Livreiros* com a inscrição de *Muito Barulho por Nada.*

1600-1601
Primeiras representações de *Hamlet* e de *As Alegres Comadres de Windsor.*

1601
7 fevereiro. Representação de *Ricardo II* no Globe, antes da revolta de Essex.
8 setembro. Funerais de John Shakespeare.

1601- 1602
Primeiras representações de *Troilus e Cressida.*

1602-1603
Primeiras representações das peças *Tudo é Bom se Acaba Bem* e de *Medida por Medida.*

1603
Shakespeare representa na tragédia *Sejano* de Ben Jonson. A Companhia do Camarista torna-se a Companhia do Rei por licença real de 19 de maio. Shakespeare figura na lista dos componentes.

1604
Março. Shakespeare e seus companheiros recebem quatro jardas e meia de pano escarlate para suas librés por motivo das festas da coroação de Jaime I. Primeiras representações de *Otelo.*

1605-1606
Primeiras representações de *O Rei Lear,* de *Macbeth* e de *Timão de Atenas.*

1606-1607
Primeiras representações de *Antônio e Cleópatra.*

1607
5 junho. Casamento da filha mais velha de Shakespeare, Suzana, com o dr. John Hall, em Stratford.

1607-1608
Primeiras representações de *Coriolano* e de *Timão de Atenas.*

1608

25 fevereiro. Batismo da neta de Shakespeare, Elisabete Hall.

9 agosto. Torna-se Shakespeare um dos co-fundadores do teatro fechado dos Blackfriars.

9 setembro. Exéquias de Mary Shakespeare, mãe do poeta.

1608-1609

Primeiras representações de *Péricles, Príncipe de Tiro.*

1609

Publicação dos *Sonetos.*

1609-1610

Primeiras representações de *Cimbelino.*

1610

Volta de Shakespeare a Stratford.

1610-1611

Primeiras representações de *Conto de Inverno.*

1611-1612

Primeiras representações de *A Tempestade.*

1612

Maio-junho. Processo BellottMountjoy. Em seu depoimento, encontra-se a primeira assinatura conhecida de William Shakespeare.

1612-1613

Primeiras representações de *Henrique VIII.*

1613

28 janeiro. John Combe lega cinco libras esterlinas a Shakespeare.

29 junho. Incêndio do Globe Theatre.

1616

10 fevereiro. Casamento da filha caçula de Shakespeare, Judite, com Thomas Quiney, filho de um velho amigo da família em Stratford.

25 março. Shakespeare assina seu testamento (três assinaturas).

23 abril. Morte de Shakespeare.

25 abril. Exéquias de Shakespeare.

1623

Publicação da *First Folio*.

Primeira edição do teatro completo de William Shakespeare (exceto *Péricles*).

1616-1623

Construção de monumento à sua memória na igreja de Stratford. A inscrição sob o busto do poeta, representado com uma pena na mão, é de um autor desconhecido. Lê-se nela:

"Nestor pelo juízo, Sócrates pelo gênio, Virgílio pela sua arte:
A terra o cobre, o povo o chora, o Olimpo o possui.
Detém-te, ó tu que passas, por que vais tão depressa?
Lê se podes, quem a invejosa Morte pôs
Neste monumento. Shakespeare, com o qual
A natureza viva morreu; seu nome orna este túmulo
Muito mais que seu preço, pois tudo quanto escreveu
Deixa a arte de nossos dias servir de pajem a seu gênio."

Sinopse

Tudo começa em Verona, onde duas poderosas famílias eram inimigas de morte. Capuletos de um lado, e Montecchios de outro, viviam em constante guerra, do senhor ao menor dos servidores. Cansado dessas querelas que prejudicavam a vida dos habitantes da cidade, Escalo, Príncipe de Verona, declara que qualquer atentado ao sossego e à paz seria punido com a morte do ofensor. Vivendo abismado em seu amor pela jovem Rosalina, Romeu, filho de Montecchio, vai aconselhar-se com seu parente Benvólio, o qual acha que ele deve procurar esquecer o objeto de seus amores e, para isto, deveria ir escondido por uma máscara ao baile dos Capuletos. Romeu assim o faz. Tendo conseguido penetrar na casa dos inimigos de sua família, lá se vê logo atraído por uma jovem de extrema formosura e, sabendo tratar-se de Julieta, filha de Capuleto, sente-se desapontado pensando na inutilidade de sua nova paixão. Entretanto, Julieta, agindo da mesma maneira que Romeu, pergunta pelo nome do jovem por quem também se sente logo atraída e fica sabendo tratar-se de alguém inimigo de sua família, com o qual seu pai nunca a deixaria casar-se. Enquanto isto ocorria, Teobaldo, da família dos Capuletos, reconhece Romeu, mas é impedido de fazer qualquer dano ao intruso pelo velho Capuleto que, respeitador das leis da hospitalidade, não lhe permite desprestigiá-las.

Conseguindo penetrar no jardim dos Capuletos, o apaixonado Romeu ouve a confissão de Julieta, que, não podendo fazê-la pessoalmente ao seu amado, conta às estrelas sua paixão. Romeu revela sua presença a Julieta e, dominados pela paixão, resolvem se casar. No dia seguinte, na cela de Frei Lourenço, é realizado o enlace, pois o franciscano, amigo de Romeu, pensa que com aquela cerimônia poderia trazer a paz para as duas famílias.

De volta da cerimônia, Romeu encontra seus amigos, Benvólio e Mercúcio, em briga com Teobaldo que estava à procura de Romeu para tomar-lhe satisfação pela sua ingerência no baile. Imediatamente, Teobaldo desafia Romeu que não responde à provocação, lembrando-se que estava na presença de um parente de sua esposa secreta. Mercúcio, entretanto, que não pode compreender a causa da fraqueza de Romeu, aceita o desafio e, enquanto Romeu e Teobaldo procuravam apartar os dois contendores, Mercúcio é morto, o que faz com que Romeu mate também Teobaldo. O príncipe bane o infrator da lei, que se refugia na cela de Frei Lourenço, onde recebe um anel de Julieta com o aviso de que a fosse ver naquela noite. Romeu assim o faz e, com o nascer da aurora, foge para Mântua. Os pais de Julieta, vendo a aflição da jovem, pensam tratar-se de dor pela morte do primo e resolvem casá-la com Páris, primo do Príncipe Escalo.

Julieta, em desespero, procura Frei Lourenço que a aconselha a fingir a aceitar o casamento e lhe dá um remédio com o qual, depois de tomá-lo, pareceria morta. Sua família acreditando realmente que ela tivesse falecido, a colocaria no túmulo dos Capuletos, onde Romeu iria encontrá-la. Julieta aceita o plano de Frei Lourenço e tudo acontece como fora previsto. Toma o remédio, cai em estado de letargia e os Capuletos, acreditando que estava morta, promovem o enterro da jòvem.

Mas, a carta de Frei Lourenço relatando o plano a Romeu não chega a seu destino. Romeu sabe da morte de Julieta por outra fonte. Desesperado, resolve arriscar a vida. Compra um mortal veneno a um farmacêutico e volta para Verona. Chegando ao túmulo dos Capuletos, encontra-se com Páris que lá fora coloca flores no túmulo de sua noiva. Nova luta e Romeu mata Páris. Entrando na sepultura, Romeu bebe o veneno que trouxera e morre diante do corpo de Julieta, a quem ele julga morta. Quando Frei Lourenço chega e acorda Julieta, ela vê horrorizada o seu esposo morto. Apanhando a adaga, suja de sangue, que Romeu deixara caída no chão, ela se mata com a arma de seu amado. Entram as duas famílias e Frei Lourenço relata o sacrifício dos dois amantes em razão do ódio existente entre suas famílias. Arrependidos, apertam as mãos jurando esquecerem para sempre as diferenças existentes entre as duas casas.

Dados históricos

A tragédia de Romeu e Julieta é considerada verídica, citando-se mesmo como tendo-se passado nos primeiros anos do século XIV. Apesar disso, é tema muito antigo, já existindo uma história semelhante na literatura grega. Luigi da Porto é o primeiro a usar o nome de Romeu e Julieta. Bandello adapta a história que foi traduzida para o francês por Pierre de Boisteau de Launay. Artur Brooke traduziu desta última fonte em versos ingleses, dando-lhe o título de *Tragical History of Romeo and Juliet*, com o qual publica o poema em 1562. Foi daí que Shakespeare tirou inspiração para sua tragédia, que segue fielmente a versão de Brooke. Este último diz ter visto representar o mesmo argumento, o que faz os estudiosos acreditarem que Shakespeare usou uma peça ainda mais antiga, possivelmente *La Hadriana*, tragédia de Luigi Groto, mas tal versão está desaparecida, só existindo hoje a que foi inspirada na obra de Brooke. Foi representada entre 1596 e 1597 e apareceu em edição *in quarto* em 1597.

ROMEU E JULIETA

Personagens do drama

ESCALO: príncipe de Verona
PÁRIS: jovem nobre, parente do príncipe
MONTECCHIO E CAPULETO: chefes de duas famílias inimigas
UM VELHO: da família dos Capuletos
ROMEU: filho de Montecchio
MERCÚCIO: parente do príncipe e amigo de Romeu
BENVÓLIO: sobrinho de Montecchio e amigo de Romeu
TEOBALDO: sobrinho da Senhora Capuleto
FREI LOURENÇO E FREI JOÃO: frades franciscanos
BALTASAR: servidor de Romeu
SANSÃO E GREGÓRIO: servidores de Capuleto
PEDRO: servidor da ama de Julieta
ABRAÃO: criado de Montecchio
Um BOTICÁRIO
Três MÚSICOS
PAJEM de Mercúcio
PAJEM de Páris
Outro PAJEM
Um OFICIAL
SENHORA MONTECCHIO: esposa de Montecchio
SENHORA CAPULETO: esposa de Capuleto
JULIETA: filha de Capuleto
AMA de Julieta
CIDADÃOS de Verona
HOMENS e MULHERES: parentes de ambas as famílias
MASCARADOS, GUARDAS, AGUAZIS e SÉQUITO
CORO
CENA: Verona e Mântua

PRÓLOGO

Entra o coro.

CORO - Na bela Verona, onde está situada nossa cena, duas famílias iguais na dignidade, levadas por antigos rancores, desencadeiam novos distúrbios, nos quais o sangue civil tinge mãos cidadãs.

Da entranha fatal desses dois inimigos ganharam vida, sob adversa estrela, dois amantes cuja desventura e lastimoso fim enterram, com sua morte, a constante fúria de seus pais.

Os terríveis momentos de seu amor fatal e a obstinação do ódio das famílias, que somente a morte de seus filhos pôde acalmar, serão, durante duas horas, o assunto de nossa representação.

Se a escutardes com bondosa atenção, procuraremos remir-nos com nosso zelo das faltas que houver.

ATO PRIMEIRO

CENA I

Verona, uma praça pública.
Entram Sansão e Gregório da casa dos Capuletos com espadas e broquéis.

SANSÃO - Palavra, Gregório, não carregaremos insolências!

GREGÓRIO - Não, porque então nos tomariam por carregadores.

SANSÃO - Quero dizer que, se nos zangarmos, puxaremos a espada.

GREGÓRIO - Sim, entretanto procura, enquanto viveres, puxares teu pescoço para fora do nó da forca.

SANSÃO - Bato pronto quando bolem comigo.

GREGÓRIO - Mas não bolem tão depressa que sejas levado a bater.

SANSÃO - Um cão da família dos Montecchios bole-me com os nervos.

GREGÓRIO - Bulir é mexer-se e ser valente, aguardar de pé firme! Logo, se te mexes, é que estás fugindo.

SANSÃO - Um cão daquela casa me levará a ficar firme! Tirarei do lado da parede qualquer homem ou mulher dos Montecchios.

GREGÓRIO - Isso indica que és um escravo fraco, pois só os mais fracos é que vão à parede.

SANSÃO - É verdade e por isso, as mulheres, como vasos frágeis, são sempre empurradas contra a parede. Portanto, não deixarei que os criados dos Montecchios fiquem do lado da parede e atirarei as mulheres contra a tal.

GREGÓRIO - A querela é entre nossos amos e entre seus criados, que somos nós.

SANSÃO - Dá no mesmo! Mostrar-me-ei um tirano! Depois que me houver batido com os homens, serei cruel com as donzelas. Vou cortar-lhes a cabeça.

GREGÓRIO - A cabeça das donzelas?

SANSÃO - Sim, a cabeça das donzelas ou a virgindade delas.[1] Toma no sentido que quiseres.

GREGÓRIO - Aquelas que o sentirem, o tomarão no verdadeiro sentido.

SANSÃO - Elas me sentirão enquanto possa manter-me de pé e é sabido que sou um belo pedaço de carne!

GREGÓRIO - É bom que não sejas um peixe. Se tu o fosses, não serias mais do que uma pescada. [2] Tira tua ferramenta que estão chegando dois da casa dos Montecchios. (*Entram Abraão e Baltasar.*)

SANSÃO - Minha arma já está nua! Provoca-os; eu guardarei tuas costas.

GREGÓRIO - Como isso? Virando as tuas e começando a correr?

SANSÃO - De mim nada temas!

GREGÓRIO - Não, por minha fé! Ter medo de ti?

SANSÃO - Fiquemos com a lei do nosso lado. Que eles comecem.

GREGÓRIO - Ao passar diante deles, franzirei o semblante e que o tomem como quiserem!

SANSÃO - Não, que se atrevam! Morderei o polegar [3] ao olhá-los e, como sabes, uma desonra para eles será se o suportarem.

ABRAÃO - Estais mordendo o polegar para nós, senhor?

SANSÃO - Estou mordendo o polegar, senhor.

ABRAÃO - Estais mordendo o polegar para nós, senhor?

SANSÃO - (*À parte para Gregório.*) A lei estará de nosso lado se eu disser sim?

GREGÓRIO - (*À parte para Sansão.*) Não.

SANSÃO - Não, senhor, não estou mordendo o polegar para vós, mas estou mordendo meu polegar.

GREGÓRIO - Procurais briga, senhor?

ABRAÃO - Briga, senhor? Em absoluto.

SANSÃO - Porque se a procurais, senhor, estou às vossas ordens. Sirvo a um amo tão bom quanto o vosso.

ABRAÃO - Porém, que não é melhor.

---

[1] Trocadilho com *the heads of the maids* (a cabeça das donzelas) e *their maidenheads* (a virgindade).

[2] Há um trocadilho entre *poor John* e *poorjohn* (espécie de bacalhau).

[3] Na Itália, era um grave insulto morder o dedo olhando para alguém.

SANSÃO - Bem, senhor. (*Entra Benvólio.*)

GREGÓRIO - (*À parte para Sansão.*) Dize "melhor", pois ali está vindo um parente de meu amo.

SANSÃO - Sim, melhor, senhor.

ABRAÃO - Estais mentindo.

SANSÃO - Desembainhai vossa espada, se sois homem! Gregório, recorda-te de tua famosa estocada! (*Lutam.*)

BENVÓLIO - Apartai-vos, imbecis! (*Abatendo-lhes as espadas.*) Embainhai vossas espadas! Não sabeis o que estais fazendo! (*Entra Teobaldo.*)

TEOBALDO - Como desembainhastes a espada no meio desses cruéis vilões? Vira-te Benvólio e contempla tua morte.

BENVÓLIO - Só procuro manter a paz. Embainha tua espada, ou ajuda-me com ela a separar estes homens.

TEOBALDO - Espada nua e falar de paz? Odeio essa palavra, como odeio o inferno, todos os Montecchios e tu! Em guarda, covarde! *(Lutam. Chegam partidários de ambas as famílias que tomam parte na refrega; em seguida, entram cidadãos e agentes da polícia com bastões.)*

CIDADÃOS - Bastões, lanças e alabardas! Atacai! Derrubai-os! Abaixo os Capuletos! Abaixo os Montecchios! (*Entram o velho Capuleto, vestindo toga, e a senhora Capuleto.*)

CAPULETO - Que barulho é este? Dêem-me minha espada de combate! Andem!

SENHORA MONTECCHIO - Uma muleta! Uma muleta! Por que insistes em pedir uma espada?

CAPULETO - Minha espada, estou dizendo! Chega o velho Montecchio e brande sua lâmina a despeito meu! (*Entram o velho Montecchio e a senhora Montecchio.*)

MONTECCHIO - Tu, infame Capuleto!... Não me detenhais, deixai-me!

SENHORA MONTECCHIO - Não darás um passo para ir de encontro a um inimigo! (*Entra o príncipe Escalo com seu séquito.)*

PRÍNCIPE - Vassalos rebeldes, inimigos da paz, profanadores desse aço manchado com o sangue de vossos vizinhos!... Não escutastes? Como! Homens, feras selvagens que apagais o fogo de vosso furor insensato com purpúreas torrentes que brotam de vossas veias, sob castigo de tortura, arrojai ao solo dessas mãos sanguinolentas vossas mal temperadas armas e ouvi a sentença de vosso irritado príncipe! Três discórdias civis, engendradas por palavras aéreas, por ti velho Capuleto, e por ti Montecchio, por três vezes perturbaram a quietude de nossas ruas; e os anciãos, habitantes de Verona, viram-se obrigados a despojar-se de seus graves e decentes ornamentos [4] para manejar velhas alabardas com mãos igualmente velhas e roídas pela paz, a fim de impedir vosso ódio roaz. Se daqui para diante, perturbardes nossas ruas de novo, vossas vidas pagarão pela quebra da paz. Desta vez, retirai-vos todos. Vós, Capuleto, acompanhar-me-eis, e vós, Montecchio, comparecereis esta tarde para saber nossa ulterior resolução a respeito deste assunto, na antiga Vila-Franca, nosso habitual lugar de justiça. Mais uma vez, ainda, que todos se retirem sob pena de morte! (*Saem todos, menos Montecchio, a senhora Montecchio e Benvólio.*)

MONTECCHIO - Quem tornou a despertar esta antiga querela? Dize-me, sobrinho, começou ela na tua presença?

BENVÓLIO - Os servidores de vosso adversário com os vossos se batiam corpo a corpo quando cheguei. Desembainhei a espada para desapartá-los quando surgiu o arrebatado Teobaldo, com a espada preparada, que, lançando provocações a meus ouvidos, agitava-a sobre a cabeça, fendendo os ares, os quais, sem receber dano algum, silvavam-no com o maior desprezo. Enquanto trocávamos cutiladas e golpes, vinha acorrendo mais gente que lutava de lado a lado, até que chegou o príncipe que separou as partes.

SENHORA MONTECCHIO - Onde está Romeu? Tu o viste hoje? Estou muito contente por ver que não está metido nesta contenda.

BENVÓLIO - Senhora, uma hora antes que o adorado sol se revelasse na janela dourada do oriente, um espírito inquieto me impulsionava a passear pelas redondezas, onde, debaixo de um pequeno bosque de sicômoros que cresce a oeste da cidade, vi vosso filho passeando em hora tão matutina. Encaminhei-me na direção dele, mas, desde que me pressentiu, internou-se na espessura do arvoredo. Eu, medindo seus sentimentos pelos meus que nunca são mais ativos do que no meio da maior solidão, segui minha fantasia sem perseguir a dele e contente evitei a quem contente fugia de mim.

---

[4] *Grave beseeming ornaments:* as pessoas idosas e respeitáveis usavam bastões.

MONTECCHIO - Muitas manhãs lá foi ele encontrado, aumentando com lágrimas o fresco orvalho matutino e acrescentando novas nuvens às nuvens com seus profundos suspiros; mas, apenas o sol que a todos diverte e anima, além dos confins do oriente, começa a descerrar as densas cortinas do leito da Aurora, meu triste filho volta para o lar, fugindo da luz e se aprisiona em seu aposento, fecha as janelas, expulsa o maravilhoso dia e para si faz uma noite artificial. Negro e fatal será esse estranho humor, a não ser que um bom conselho possa remediar-lhe a causa.

BENVÓLIO - Meu nobre tio, conheceis a causa?

MONTECCHIO - Nem a sei, nem posso conseguir que ele a revele.

BENVÓLIO - Não o importunastes por algum meio?

MONTECCHIO - Não só eu como muitos outros amigos; mas, ele, conselheiro dos próprios sentimentos, é para si mesmo (não poderei dizer com que sinceridade) tão secreto, tão fechado, tão longe da penetração e da descoberta quanto o botão mordido por um verme invejoso, antes que possa estender pelos ares suas suaves folhas ou dedicar sua beleza ao sol. Se pudéssemos descobrir a origem de sua dor, de boa vontade lhe daríamos o tratamento propício. (*Entra Romeu.*)

BENVÓLIO - Olhai-o que chega. Por favor, afastai-vos. Vou saber a causa de seu desgosto ou muito reservado se mostrará comigo.

MONTECCHIO - Desejo que sejas bastante feliz para ouvir-lhe a confissão. Vamos, senhora, retiremo-nos. (*Saem Montecchio e a senhora Montecchio.*)

BENVÓLIO - Boa manhã, querido primo!

ROMEU- Ainda está tão jovem o dia?

BENVÓLIO - Acabam de soar nove horas.

ROMEU - Ai de mim! As horas tristes parecem tão longas! Não era meu pai, quem acaba de sair tão depressa?

BENVÓLIO - Era. Que tristeza alarga as horas de Romeu?

ROMEU- Não possuir o que, possuído, as abreviasse.

BENVÓLIO - Em amor?

ROMEU - Privado...

BENVÓLIO - De amor?

ROMEU- Privado dos favores daquela a quem amo.

BENVÓLIO - Aí de mim! Que o amor, tão gentil na aparência, tenha que ser tão cruel e tirano na provação!

ROMEU— Ai! Que o amor, cuja vista é sempre vendada,

encontre sem os olhos caminho franco para sua vontade! Onde jantaremos? Pobre de mim! Que barulho houve aqui? Entretanto, não me digas, pois tudo escutei. Aqui o ódio dá muito que fazer, porém o amor mais ainda. Oh! Amor rixoso! Oh! Ódio amoroso! Oh! Todas as coisas primeiramente criadas do nada! Oh! Pesada ligeireza! Séria vaidade! Informe caos de sedutoras formas! Plumas de chumbo, fumaça luminosa, flama gelada, saúde achacada, sono em perpétua vigília, que não é o que é! Tal é o amor que sinto, sem sentir em tal amor, amor nenhum. Não ris?

BENVÓLIO - Não, meu primo, antes choro.

ROMEU - Bondoso coração, de quê?

BENVÓLIO - Do acabrunhamento de teu soberbo coração.

ROMEU - Que queres, tal é a transgressão do Amor! Meus próprios pesares oprimem meu peito e tu vais aumentá-los acrescentando ainda os teus. Esse afeto que me mostraste adiciona novo pesar ao excesso do meu. O amor é fumaça formada pelos vapores dos suspiros. Purificado, é um fogo chispeante nos olhos dos amantes. Contrariado, um mar saciado pelas lágrimas dos amantes. Que mais ainda? Loucura prudentíssima, fel que nos abafa, doçura que nos salva. Adeus primo!

BENVÓLIO - Espera! Quero acompanhar-te. Se assim me deixas, podes ofender-me!

ROMEU - Cala! Eu me perdi e não estou aqui. Romeu não está aqui, está em outro lugar qualquer.

BENVÓLIO - Mas, dize-me seriamente: estás apaixonado por quem?

ROMEU - Como? Preciso dizer-te soluçando?

BENVÓLIO - Soluçando? Por quê? Não, porém conta-me seriamente de quem.

ROMEU - Pede a um enfermo que faça seriamente o testamento. Ah! Que mau conselho para alguém que está tão mal! Sério, primo, amo uma mulher.

BENVÓLIO - Bem perto visava eu quando te supunha apaixonado.

ROMEU - Certeiro e bom atirador! E bela é aquela a quem amo.

BENVÓLIO - Mas um belo alvo, gentil primo, atinge-se bem.

ROMEU - Bem, desta vez não atingiste o alvo! Ela não se deixa atingir pela seta do Eros. Possui a sabedoria de Diana e, protegida por uma castidade bem armada, vive fora do alcance da infantil e débil flecha do amor. Não se deixará assediar por propostas amorosas, nem suportar o encontro de olhos assaltantes, nem abrir o seio ao ouro capaz de seduzir até os santos. É rica em beleza e só pobre porque, quando morrer com sua beleza, morrerá seu tesouro.

BENVÓLIO - Então, jurou ela viver sempre casta?

ROMEU - Jurou e em virtude dessa economia, comete o maior esbanjamento, pois a beleza, esfaimada por tanto rigor, priva a beleza de toda a descendência. Ela é belíssima, discreta demais, para merecer a felicidade em troca de meu desespero. Ela jurou não amar e, por causa desse voto, vivo morto, vivendo somente para dizer-te neste momento:

BENVÓLIO - Deixa-te guiar por mim; não penses mais nela.

ROMEU - Oh! Ensina-me como posso deixar de pensar.

BENVÓLIO - Dando liberdade a teus olhos. Examina outras belezas.

ROMEU - É o meio de proclamar a dela mais maravilhosa ainda. Essas felizes máscaras que beijam a fronte das belas damas fazem adivinharmos, sendo negras, a radiante brancura que escondem. Quem fica cego de repente não pode esquecer o inestimável tesouro de sua vista perdida. Apresenta-me a uma dama de extrema formosura. De que me servirá sua beleza, senão de página onde lerei quem avantajou essa avantajada beleza? Adeus, não podes ensinar-me a esquecer.

BENVÓLIO - Eu te darei esse ensino ou, do contrário, hei de morrer em dívida. *(Saem.)*

CENA II

Uma rua.

Entram Capuleto, Páris e um servidor.

CAPULETO - Mas, Montecchio está como eu ligado pela mesma penalidade. Não é difícil de manter a paz entre senhores de nossa idade.

PÁRIS - Ambos gozais de honrosa consideração e é muito lamentável que hajais vivido inimizados tanto tempo. E agora, senhor, que respondeis ao meu pedido?

CAPULETO - Respondo o que já lhe respondi. Minha filha é ainda uma estranha no mundo. Ainda não viu completarem-se seus quatorze anos. Deixa, pois, dois verões se extinguirem em seu esplendor, antes que possamos julgá-la amadurecida para ser uma esposa.

PÁRIS - Outras mais moças do que ela já são mães felizes.

CAPULETO - E muito cedo murcham aquelas que se casam cedo demais. A terra levou todas as minhas esperanças menos ela. Ela é a dona e a esperança de meu mundo. Mas, corteja-a, gentil Páris, conquiste-lhe o coração. Minha vontade é somente uma parte de seu consentimento. Se ela concordar, dentro dos limites de sua escolha se acham meu voto favorável e seu consentimento. Esta noite, segundo costume tradicional, dou uma festa para a qual convidei várias pessoas de minha consideração. Aumenta-lhe o número e serás bem-vindo entre os presentes. Em minha pobre casa, prepara-te esta noite para contemplar estrelas que pisam a terra, eclipsando a luz do céu. Deleite semelhante ao que experimentam os jovens robustos, quando o florido abril pisa os calcanhares do hesitante inverno, tu o sentirás esta noite em minha casa entre viçosos botões femininos. Escuta todas essas formosuras, olha-as todas e que tua preferência vá para aquela cujo mérito seja maior. Bem visto, minha filha figura entre aquelas que estão neste número, sem entrar na conta. Vem, acompanha-me. *(Ao servidor, dando-lhe um papel.)* Anda, malandro, percorre a bela Verona, procura as pessoas cujos nomes estão aqui escritos e dize-lhes que minha casa e minha hospitalidade estão à espera de suas presenças. (*Saem Capuleto e Páris.*)

SERVIDOR - Busca as pessoas cujos nomes estão aqui escritos! Está escrito que o sapateiro se entenda com sua jarda e o alfaiate com sua forma; o pescador com os pincéis, e com as redes, o pintor; mas, a mim, mandam-me buscar aquelas pessoas cujos nomes estão aqui escritos e jamais poderei achar que nomes foram postos aqui. Terei que procurar quem seja instruído. Nem a propósito! (*Entram Benvólio e Romeu.*)

BENVÓLIO - Cala-te, homem! Um fogo apaga outro fogo. Uma pena é atenuada com o sofrimento de outra. Roda até à vertigem e ficarás sereno, girando em direção oposta. Uma dor desesperada com a aflição de outra se remedia. Apanha em teus olhos alguma nova infecção e desaparecerá o violento veneno do mal antigo.

ROMEU - Tuas folhas de plátano são excelentes para isto.

BENVÓLIO - Para quê? Fala!

ROMEU - Para a fratura de tua perna.

BENVÓLIO - Como, Romeu, estás louco?

ROMEU - Louco, não; porém, mais atado do que um louco,

metido em uma prisão, mantido sem alimento, açoitado e atormentado e... (*Ao servidor.*) Boa tarde, bondoso rapaz.

SERVIDOR - Que Deus vos dê boa tarde, senhor. Por obséquio, sabeis ler?

ROMEU - Sim, meu próprio destino em minha desventura.

SERVIDOR - Isso talvez aprendestes sem livros; mas, por favor, sabeis ler qualquer coisa que vejais?

ROMEU - Sim, se souber as letras e a linguagem.

SERVIDOR - Não vos explicais mal! Que Deus vos conserve a alegria!

ROMEU - Espera, rapaz. Eu sei ler. *(Lê.)* "O Senhor Martino, esposa e filhas; o Conde Anselmo e suas lindas irmãs; a Senhora viúva de Vitrúvio; o Senhor Placêncio e suas encantadoras sobrinhas; Mercúcio e seu irmão Valentino; meu tio Capuleto, sua esposa e filhas; minha bela sobrinha Rosalina; Lívia; o Senhor Valêncio e seu primo Teobaldo; Lúcio e a jovial Helena." Uma bela assembléia! E onde se reunirão?

SERVIDOR - Em cima.

ROMEU - Onde?

SERVIDOR - Cear em nossa casa.

ROMEU - Em casa de quem?

SERVIDOR - De meu senhor.

ROMEU - Com efeito, é o que deveria ter-te perguntado antes.

SERVIDOR - Agora, sem que me pergunteis, eu vos direi. Meu patrão é o riquíssimo Capuleto. E se não pertenceis à casa dos Montecchios, eu vos rogo que venhais para esvaziar um copo de vinho. Espero que vos divirtais! *(Sai.)*

BENVÓLIO - Nessa mesma antiga festa dos Capuletos, ceia a bela Rosalina, a quem estás amando, com todas as beldades admiradas de Verona. Vai lá e, com olhos não prevenidos, compara o rosto dela com alguns que eu te mostrarei e convirás comigo que teu cisne é um corvo.

ROMEU - Quando a sacrossanta religião de meus olhos mantiver similar falsidade, que então minhas lágrimas se transformem em chamas; e esses heréticos transparentes, tantas vezes transbordados, sem poderem morrer jamais, sejam queimados como impostores! Uma mulher mais bela do que minha amada! O sol, que tudo vê, nunca viu outra semelhante desde a aurora dos tempos!

BENVÓLIO - Cala-te! Tu a viste bela porque não tendo com quem compará-la, ela sozinha se equilibrou em cada um de teus olhos; mas, contrabalanceia nessas balanças cristalinas a imagem de tua amada com alguma outra donzela que te mostrarei resplandecente nessa festa e apenas te parecerá bem o que agora julgas superior.

ROMEU - Irei, não para presenciar o espetáculo de tais formosuras, mas para regozijar-me com o esplendor da minha. *(Saem.)*

CENA III

Sala na casa dos Capuletos.
Entram a senhora Capuleto e a ama.

SENHORA CAPULETO - Onde está minha filha, ama? Chama-a, que ela venha falar-me.

AMA - Mas, por minha virgindade quando estava com doze anos, já lhe disse que viesse! Meu cordeiro! Minha pequena!... Deus me perdoe! Onde está essa pequena? Ó Julieta! (*Entra Julieta.*)

JULIETA - Que houve? Quem está me chamando?

AMA - Vossa mãe.

JULIETA - Senhora, estou aqui. Que desejais?

SENHORA CAPULETO - O assunto é este... Ama, deixa-nos a sós um momento; precisamos falar em segredo... Volta de novo, ama! Pensei melhor; deves ouvir nossa conversa. Já sabes que minha filha está em uma idade razoável.

AMA - Por minha fé! Posso dizer-lhe a idade sem errar uma hora!

SENHORA CAPULETO - Ainda não fez quatorze anos.

AMA - E eu aposto quatorze de meus dentes (embora com tristeza o fale, só possua quatro) como ainda não fez quatorze anos. Quanto falta para a Festa do Pão? [5]

SENHORA CAPULETO - Pouco mais de duas semanas.

AMA - Pois, pares ou ímpares, de todos os dias do ano, na véspera da festa, à noite, completará quatorze. Susana e ela (Deus dê descanso a todas as almas cristãs!) tinham a mesma idade. Bem, Susana está com Deus; era boa demais para mim... Mas, como estava dizendo, na véspera da festa, à noite, completará quatorze. Juro que sim. Recordo-me bem. Está fazendo agora onze anos do

---

[5] *Lammas-tide* é a festa celebrada a 1º de agosto em comemoração à colheita entre os povos anglo-saxões.

terremoto [6] e naquela época ela foi desmamada. Nunca esquecerei... De todos os dias do ano, foi justamente aquele. Porque eu untara antes os seios com absinto e estava sentada ao sol, debaixo do muro do pombal. Meu senhor e vós estáveis então em Mântua. Não, mas eu tenho uma memória!... Pois, como dizia, quando provou o absinto do bico de meu seio, achou amargo. Ah! A louquinha! Precisava ver-lhe o enjôo e como ficou aborrecida com ele! Com tudo isso, começou o pombal a tremer. Posso garantir-vos que não foi preciso pedir-me para que me pusesse a salvo. E desde aquele tempo faz onze anos, e já então podia ficar de pé sozinha, sim, pela Santa Cruz! Podia já correr e tropeçar por todas as partes, pois precisamente no dia anterior se ferira na cabeça. E então, meu marido (que na glória esteja!), que era homem jovial, levantou a pequena e lhe disse: "Então, caíste de bruços? Quando tiveres mais juízo, cairás de costas. Não é verdade, Júlia?" E, por Nossa Senhora, a linda pequena deixou de chorar de imediato e exclamou: "Sim." É preciso ver como vem a propósito uma boa brincadeira! Mil anos que vivesse, eu vos asseguro que não a esqueceria. "Não é verdade, Júlia?", disse ele; e a linda pequena pára o choro e responde: "Sim."

SENHORA CAPULETO - Chega disso. Por favor, cala-te.

AMA - Sim, senhora; mas, não posso deixar de rir pensando que parou de chorar e disse "Sim"; posso garantir-vos, tinha na testa um galo tão grande quanto um ovo de galinha; uma pancada perigosa e ela chorava desoladamente. Disse meu marido, "Caíste de bruços? Quando fores maior, cairás de costas. Não é verdade, Júlia?" E ela parou de chorar e disse: "Sim."

JULIETA - E pára tu também, por favor ama, estou-te pedindo.

AMA - Silêncio, já acabei. Que Deus te favoreça com sua graça! Eras a mais linda criança que jamais alimentei e, se viver tanto que te possa ver casada um dia, todos os meus desejos terão sido realizados.

SENHORA CAPULETO - Mas, por Deus, era justamente de casá-la que nós vamos falar. Dize-me, minha filha Julieta, qual a disposição que sentes para o casamento?

JULIETA - É uma honra com a qual não sonho.

---

[6] O terremoto referido pela ama é verdadeiro; ocorreu em 6 de abril de 1580 na Inglaterra.

AMA - Uma honra! Se não fosse tua única ama, diria que terias tirado a sabedoria dos seios com os quais te criei.

SENHORA CAPULETO - Bem, já é tempo de pensar no casamento. Outras mais jovens do que tu há aqui em Verona, damas de grande consideração que já são mães. Se não me engano, eu mesma era tua mãe muito antes dessa idade em que és ainda uma donzela. Assim, pois, em poucas palavras, o intrépido Páris te procura para esposa.

AMA - Que homem, senhorita! Senhora, é um homem como no mundo inteiro... Ora, é uma figura de cera! [7]

SENHORA CAPULETO - O estio de Verona não possui flor igual.

AMA - Ah! Sim, é uma flor, sem dúvida, uma verdadeira flor.

SENHORA CAPULETO - Que dizes? Poderás amar esse fidalgo? Esta noite o verás em nossa festa. Lê no livro do rosto de Páris e descobre o encanto composto com a pena da gentileza. Repara na harmonia de cada uma das feições e vê como uma realça a outra, e se algo sombrio encontras nesse belo livro, acharás a explicação nas margens de seus olhos. A esse precioso livro de amor, a esse amante não encadernado, para completar-lhe a formosura só falta a cobertura. O peixe vive na água e é grande honra para a beleza exterior cobrir a interior beleza. Tal livro aos olhos de muitos deve partilhar da glória que na áurea história se contém presa por fechos de ouro. Do mesmo modo, compartilharás de tudo quanto ele possua sem te diminuíres a ti mesma.

AMA - Diminuir? Nada disto, aumentar! Juntas com homens, as mulheres engrossam!

SENHORA CAPULETO - Dize depressa. Verás com agrado o amor de Páris?

JULIETA - Procurarei gostar dele, se ver me levar a gostar; mas, não lançarei meu olhar mais além, salvo se vosso consentimento lhe der força. *(Entra um servidor.)*

SERVIDOR - Senhora, os convidados já chegaram, a ceia está servida, estão-vos chamando, perguntam pela jovem senhora, a ama está sendo amaldiçoada na copa e, afinal, tudo está nos extremos. Devo ir servir. Segui-me, por favor.

---

[7] O original diz: *he's a man of wax.* Naquele tempo, a cera servia para verdadeiras obras de arte.

SENHORA CAPULETO - Não tardamos. *(Sai o servidor.)* Julieta, o conde está esperando.

AMA - Vá, pequena! Procura felizes noites para felizes dias! (*Saem.*)

CENA IV

Uma rua.

Entram Romeu, Mercúcio e Benvólio com cinco ou seis outros mascarados e portadores de tochas.

ROMEU - Então, recitamos este discurso[8] para nossa desculpa ou penetramos sem desculpa?

BENVÓLIO - Já passou a época para toda essa prolixidade! Não vamos levar agora Cupido coberto com uma venda e na mão um arco tártaro de madeira pintada, assustando as damas como um espantalho, nem tampouco anunciar nossa chegada com um prólogo sem livro, balbuciando graças ao ponto. Mas, deixai-os medir-nos como queiram! Nós lhes mediremos uma medida[9] e partiremos.

ROMEU - Dai-me uma tocha! Não estou para esse passo lento e, depois, já que me sinto tenebroso, devo levar a luz.

MERCÚCIO - Como, gentil Romeu! Queremos que dances!

ROMEU - Não, acreditai-me! Estais usando sapatos de baile com solas leves. Eu estou com uma alma de chumbo que me deixa preso ao chão sem poder mover-me.

MERCÚCIO - Estás apaixonado! Pede emprestadas as asas de Cupido e sobe com elas além dos limites triviais.

ROMEU - Por demais ferido estou eu pelas flechas dele para que possa voar com suas leves asas; e tão prostrado me mantém que não posso elevar-me além do negro desgosto! E sob o enorme peso do amor, sucumbo!

MERCÚCIO - Mas se caíres em cima, dominarás o amor com teu peso! Opressão em demasia para tão terno ser.

ROMEU - Terno ser é o amor? Áspero demais, rude demais, violento demais e lancinante como um espinho.

---

[8] Não se tendo convite, era uso fazer um discurso ao dono da casa. No tempo de Shakespeare, a moda estava caindo em desuso.

[9] Medida era uma dança antiga de corte.

MERCÚCIO - Se o amor é áspero contigo, sê áspero com ele; se te traspassar, traspassa-o e acaba por dominá-lo. Dai-me um estojo onde colocar meu rosto! Uma máscara para outra máscara! Que me importa que algum olhar curioso repare agora minhas deformidades? Aqui estão estas faces grosseiras que se ruborizarão por mim!

BENVÓLIO - Vamos, batei e entremos! E assim que lá dentro estivermos, que cada qual cuide só de suas pernas.

ROMEU - Uma tocha para mim! Os levianos de coração risonho façam afagos com os talões nos insensíveis juncos![10] De minha parte, eu me atenho ao antigo provérbio: "Serei porta-velas e olharei". "A partida nunca esteve tão boa e preso estou". [11]

MERCÚCIO - Ora, "preso está o rato!", já dizia o condestável. Se preso estás, nós te tiraremos do lamaçal [12] — desculpa a expressão — desse amor em que te ataxaste até as orelhas. Mas, vamos, estamos gastando a luz de dia!

ROMEU - Não, não é assim.

MERCÚCIO - Quero dizer rapaz que, demorando, consumimos em vão nossas luzes como lâmpadas em pleno dia. Compreende a boa intenção, pois nosso juízo está cinco vezes nela em vez de uma só em nossos cinco sentidos.

ROMEU - E nós temos boa intenção, indo a essa mascarada, mas constitui uma falta de juízo.

MERCÚCIO - Por quê? Pode-se saber?

ROMEU - Tive um sonho esta noite...

MERCÚCIO - E eu tive outro.

ROMEU - Bem, qual foi o teu?

MERCÚCIO - Que os sonhadores quase sempre mentem. [13]

ROMEU - No leito dormem, sonhando coisas verdadeiras.

MERCÚCIO - Já vejo, pois, que esteve contigo a Rainha Mab. [14]

---

[10] Não havendo ainda o uso dos tapetes, cobria-se o chão de esteiras.

[11] Dois antigos provérbios ingleses, significando o primeiro que um simples espectador é bom jogador; e o segundo que é melhor abandonar o jogo quando está propício.

[12] Jogo antigo que consistia em tirar de um lamaçal um cavalo de madeira.

[13] *That dreamers often lie*: trocadilho com a frase a seguir, pois *lie*, em inglês, não é somente mentir, também quer dizer estar deitado.

[14] Mab era a rainha das fadas.

É a parteira das ilusões e chega em tamanho que não é maior do que a pedra de ágata que reluz no dedo indicador de um conselheiro municipal, arrastada por uma parelha de minúsculos corcéis, a passear pelos narizes dos homens enquanto dormem. Os raios das rodas de seu carro são feitos de longas patas de aranha; a capota, de asas de gafanhotos; as rédeas, de finíssima teia de aranha; os arneses, de úmidos raios de lua; o cabo do chicote, de ossos de grilo; o chicote, de uma película; seu cocheiro, um pequeno mosquito de libré cinza, não tendo nem a metade do vermezinho redondo tirado do dedo preguiçoso de uma criada; seu carro é uma casca de avelã, confeccionado por um esquilo marceneiro ou por uma velha lagarta, desde tempos imemoriáveis artífices dos carros das fadas. E nessa equipagem, galopa, noite após noite, pelos cérebros dos apaixonados que, então, sonham com amores; sobre os joelhos dos palacianos, que logo sonham com mesuras; pelos dedos dos advogados que imediatamente sonham com honorários; sobre os lábios das damas que, logo depois, sonham com beijos, lábios que Mab, enfurecida, infecta a miúdo, atormentando-os com empolas, pois têm o hábito de viciarem o hálito com guloseimas aromáticas. [15] Algumas vezes, cavalga sobre o nariz de um cortesão, e, então, ele sonha que fareja uma promoção; e outras, com o rabo de um porco do dízimo, faz cócegas no nariz de um pároco adormecido e imediatamente sonha ele com uma nova prebenda. Às vezes, passeia pelo pescoço de um soldado e, então, sonha que está decepando inimigos, com brechas, emboscadas, lâminas espanholas, brindes e tragos de cinco braças de altura. E, então, retumba, de repente, o tambor em seus ouvidos, com o que dá ele um salto e se levanta, e, com semelhante mão, engrola uma ou duas orações e dorme novamente. Esta Mab é a mesma que trança a crina dos cavalos de noite e gruda as grenhas dos duendes em sujos e feios nós que, uma vez desemaranhados, prognosticam grandes desgraças. Esta é a bruxa que, quando as donzelas dormem de costas, as oprime e lhes ensina a agüentar pela primeira vez o peso masculino, delas fazendo mulheres de boa carga. É ainda ela...

ROMEU - Silêncio, Mercúcio, silêncio! Estás falando de ninharias.

MERCÚCIO - É verdade, falo de sonhos que são os filhos de

---

[15] As elegantes do tempo usavam pastilhas para perfumar o hálito.

uma mente ociosa, engendrados unicamente pela vã fantasia, e tão finos de substância quanto o ar e mais volúveis do que o vento que agora acaricia o seio gelado do Norte e, que, depois de exasperado, sopra para bem longe, virando a cara para o Sul, coberto de orvalho.

BENVÓLIO - Esse vento de que falas nos afasta de nós mesmos. A ceia já acabou e chegaremos tarde demais.

ROMEU - Temo que cedo demais, pois meu coração pressente que alguma fatalidade, suspensa no entanto nas estrelas, começará amargamente seu temível curso com esta festa noturna e porá fim à desprezível vida que trago em meu peito graças a algum golpe vil de prematura morte. Mas, Aquele que governa o leme de minha existência guie minha nave! Vamos, alegres senhores!

BENVÓLIO - Rufai tambores! *(Saem.)*

CENA V

Salão na casa de Capuleto.

Músicos à espera. Entram os servidores com guardanapos.

PRIMEIRO SERVIDOR - Onde está o Caçarola que não ajuda a desservir? Tira um prato? Esfrega um prato!

SEGUNDO SERVIDOR - Quando os bons modos estão nas mãos de um ou dois homens e ainda por cima não as lavam, é um negócio imundo.

PRIMEIRO SERVIDOR - Tirai-me esses tamboretes! Afastai o aparador! Muito cuidado com a prataria! Escuta, guarda-me um pedaço de maçapão e, como sei que gostas de mim, deixa que o porteiro permita a entrada de Susana Moleira e de Leonor. Antônio! Caçarola!

SEGUNDO SERVIDOR - Já vamos, rapaz!

PRIMEIRO SERVIDOR - Estão procurando, chamando, indagando e reclamando por ti no salão grande!

TERCEIRO SERVIDOR - Não podemos estar aqui e acolá ao mesmo tempo. Depressa, rapazes! Andem e quem se atrasar carregará tudo! *(Retiram-se para o fundo. Entram Capuleto, Julieta e outras pessoas da família, reunindo-se com os convidados e mascarados.)*

CAPULETO - Bem-vindos, cavalheiros! As damas, cujos artelhos não são martirizados por calos, darão uma volta convosco. Ah! Minhas senhoras! Qual de todas vós se negará agora a dançar?

Aquela que se fizer de delicada, jurarei que tem calos! Não acertei em cheio? Bem-vindos, cavalheiros! Em meus bons tempos, também usava máscara e sabia sussurrar histórias nos ouvidos de uma bela dama, que acontecia encantar-me... Tudo passou, tudo passou, tudo passou... Sede bem-vindos, cavalheiros! Vamos, músicos, tocai! Afastem, afastem! Dêem espaço para as danças! E, pés ligeiros, pequenas! *(Soa a música e dança-se.)* Mais luz, rapazes! Retirai as mesas e apagai o fogo. Está fazendo muito calor na sala! Ó rapaz, esta festa inesperada vem a propósito! Assentai-vos, meu bom primo Capuleto, assentai-vos, pois já se passaram para nós os dias de dançar. Qual foi a última vez em que estivemos em uma mascarada?

SEGUNDO CAPULETO - Virgem Santa! Trinta anos!

CAPULETO - Como, meu amigo! Não é tanto assim! Nem tanto! Desde o matrimônio de Lucêncio. Que Petencostes venha tão depressa quanto queira, há vinte e cinco anos e, então, usávamos máscaras!

SEGUNDO CAPULETO - Mais do que isto! Mais do que isto! O filho mais velho de Lucêncio já está nos seus trinta anos.

CAPULETO - Que me estais dizendo? Há dois anos era ainda menor.

ROMEU - *(A um servidor.)* Quem é aquela dama que enriquece a mão daquele cavalheiro?

SERVIDOR - Não sei, senhor.

ROMEU - Oh! Ela deve ensinar às tochas como devem brilhar esplendidamente! Dir-se-ia que pende da face da noite como rica jóia da orelha de um etíope! Beleza riquíssima para ser usada e cara demais para a terra! Como nívea pomba entre corvos, assim aparece aquela dama no meio de suas companheiras. Encerrada a dança, observarei onde se coloca e, com o contato da sua, tornarei ditosa minha rude mão. Porventura meu coração amou até agora? Jurai que não, meus olhos! Porque até esta noite jamais conheci a verdadeira beleza.

TEOBALDO - Aquele, pela voz, deve ser um Montecchio. Traze-me minha espada, rapaz! Como se atreve o miserável a vir até aqui, encoberto por uma grotesca face, para ludibriar e ridicularizar nossa solenidade? Pois, pela estirpe e honra de minha família, feri-lo de morte não pode ser considerado um pecado.

CAPULETO - Que há, sobrinho? Por que estás assim tão agitado?

TEOBALDO - Meu tio, aquele que está ali é um Montecchio,

nosso inimigo; o miserável aqui veio, por despeito, para ridicularizar nossa solenidade desta noite.

CAPULETO - Não é o jovem Romeu?

TEOBALDO - Ele mesmo, o infame Romeu.

CAPULETO - Acalma-te, gentil sobrinho, deixa-o em paz, pois se comporta como um perfeito gentil-homem. E, para dizer a verdade, Verona está orgulhosa de um jovem tão virtuoso e de conduta tão exemplar. Nem em troca de todos os tesouros desta cidade, quisera eu que lhe fosse feita ofensa em minha casa. Portanto, tende paciência e não lhe prestes atenção. Tal é minha vontade; se a respeitas, mostra um aspecto jovial e desfranze esse cenho, fero semblante que assenta mal em uma festa.

TEOBALDO - É a melhor atitude quando entre os convidados há um vilão semelhante! Não poderei suportá-lo!

CAPULETO - Será suportado! Que é isto jovem cavalheiro? Quem está dizendo, sou eu! Sai! Sou eu quem manda ou tu? Sai! Tu não o suportarás! Deus salve minha alma! Queres levantar uma revolta entre meus convidados? Queres levantar demais a crista! Queres ser o senhor?

TEOBALDO - Ora, meu tio, é uma vergonha.

CAPULETO - Basta, basta! És um rapaz insolente. Não é verdade? Esta brincadeira pode custar-te caro; sei o que digo! Tens necessidade de contrariar-me? Pois é o momento!... *(Aos que dançam.)* Bravos, meus filhos!... És um leviano. Ficarás quieto ou... Mais luz, mais luz! Que vergonha! Eu te farei ficar tranqüilo. Vamos, animai-vos, meus filhos!

TEOBALDO - A paciência assim imposta em união com minha cólera tenaz fazem tremer minhas carnes em choques opostos. Retirar-me-ei, mas esta intrusão, que agora parece doce, ainda se transformará em fel amargo. *(Sai.)*

ROMEU - *(A Julieta.)* Se profano com minha mão por demais indigna esse santo relicário, a gentil penitência é esta: meus lábios, dois ruborizados peregrinos, estão prontos a suavizar com um terno beijo tão grosseiro contato.

JULIETA - Bondoso peregrino, injusto até o excesso sois com vossa mão, que mostrou devoção cortês; pois as santas têm mãos que são tocadas pelas dos peregrinos e enlaçar palma com palma é o ósculo dos piedosos que trazem consigo palmas. [16]

---

[16] Romeu está fantasiado de peregrino que, de acordo com a tradição,

ROMEU - Não têm lábios as santas e lábios também os piedosos peregrinos?

JULIETA - Sim, peregrino, lábios que devem servir-se na oração.

ROMEU - Oh! Então, santa adorada, deixai que os lábios façam o que as mãos fazem. Elas oram, acedei para que a fé não se mude em desespero!

JULIETA - As santas são imóveis mesmo atendendo às orações.

ROMEU - Então, não vos movais, enquanto recolho o fruto de minhas preces. Assim, mediante vossos lábios ficam os meus livres de pecado! *(Beijando-a.)*

JULIETA - Deste modo passou para meus lábios o pecado que os vossos contraíram.

ROMEU - Pecado de meus lábios? Oh! Culpa deleitavelmente censurada ao pecador! Devolvei-me então meu pecado.

JULIETA - Beijais segundo as maneiras elegantes.

AMA - Senhora, vossa mãe está muito precisada de dizer-vos umas palavras.

ROMEU - Quem é a mãe dela?

AMA - Deveras, mancebo? A mãe dela é a senhora desta casa e uma boa senhora, prudente e virtuosa. Criei-lhe a filha, com quem faláveis, e posso garantir-vos: quem se casar com ela terá também o seu mealheiro. [17]

ROMEU - É uma Capuleto? Oh! Que cara conta! Sou devedor de minha vida a meu inimigo.

BENVÓLIO - Então! Partamos! A brincadeira chegou ao auge.

ROMEU - Sim, é o que temo e maior é minha inquietude!

CAPULETO - Não, cavalheiros, não penseis em partir! Aguarda-nos um modesto e insignificante banquete. Insistis? Pois, então, obrigado a todos. Obrigado, respeitáveis cavalheiros! Boa noite! Mais tochas aqui! Vamos então para a cama. Olá, compadre! Por minha fé, está ficando tarde. Vou me recolher. (*Saem todos, menos Julieta e a ama.*)

JULIETA - Venha aqui, ama. Quem é aquele cavalheiro?

AMA - Filho e herdeiro do velho Tibério.

---

usava palmas.

[17] Diz a ama: ... *he that can lay hold of her / Shall have the chinks.* A última palavra não só significa moeda, como também fenda, abertura, no sentido de que ele colheria a virgindade de Julieta.

JULIETA - Quem é aquele que agora transpõe a porta?

AMA - Pela Santa Virgem, acredito que seja o jovem Petrúchio.

JULIETA - E aquele que o acompanha e que não quis dançar?

AMA - Não o conheço.

JULIETA - Vai perguntar-lhe o nome. Se for casado, meu túmulo será meu leito nupcial.

AMA - Chama-se Romeu, é um Montecchio, filho único de vosso grande inimigo.

JULIETA - Meu único amor nascido de meu único ódio! Cedo demais o vi, sem conhecê-lo, e tarde demais o conheci! Prodigioso é para mim o nascimento do amor para que deva amar meu inimigo abominado!

AMA - Que é isso? Que é isso?

JULIETA - Versos que aprendi agora mesmo de alguém com quem dançava. *(Chamam de dentro: "Julieta!")*

AMA - Já vamos, já vamos! Vinde, saiamos. Todos os convidados já se foram. *(Saem.)*

ATO SEGUNDO

PRÓLOGO

Entra o coro.

CORO - Agora, jaz o antigo desejo em seu leito de morte e uma nova paixão aspira a ser herdeira. A beleza por quem suspirava e queria morrer o amante perdeu seu encanto, comparada com a terna Julieta. Agora, Romeu é amado e ama, igualmente encantados ambos pelo encantamento dos olhares. Mas, deve ele queixar-se à sua suposta inimiga e ela resguardar de terríveis anzóis a isca do amor. Sendo inimigo, não pode dela aproximar-se para animá-la com aquelas promessas que os amantes trocam entre si. Ela, do mesmo modo apaixonada, conta ainda com menos meios para encontrar-se em algum lugar com seu novo amor. Mas a paixão lhes dá força e meios, e o tempo para se encontrarem, temperando tais extremidades com extrema doçura. *(Sai.)*

CENA I

Viela para a qual dá o muro do jardim dos Capuletos.
Entra Romeu sozinho.

ROMEU - Como posso ir mais longe, quando meu coração aqui permanece? Volta, tosco barro e acha teu centro! *(Galga o muro e pula no interior do jardim. Entra Benvólio com Mercúcio.)*

BENVÓLIO - Romeu! Meu primo Romeu!

MERCÚCIO - Ele é sensato e, por minha vida, foi para casa recolher-se.

BENVÓLIO - Ia nesta direção e saltou o muro deste jardim. Chama-o, bom Mercúcio!

MERCÚCIO - Eu o conjurarei também. Romeu!... Caprichos!... Loucura!... Paixão!... Amante!... Aparece em forma de suspiro!

Recita ao menos um verso e dar-me-ei por satisfeito. Exclama somente: "Ai de mim!". Rima unicamente "amor" com "dor". Lisonjeia com belas letras minha comadre Vênus e põe um apelido em seu filho e cego herdeiro. O jovem Adão-Cupido que disparou tão certeira sua flecha, quando o Rei Cofétua [18] se apaixonou pela jovem mendiga... Não ouve, não se agita, não se move. O símio está morto e devo conjurá-lo! [19]... Eu te conjuro pelos brilhantes olhos de Rosalina, por sua altiva fronte e seus lábios escarlates, por seus finos pés, esbelta perna, coxa palpitante e paragens ali adjacentes para que nos apareças em tua própria figura!

BENVÓLIO - Se ele te escutou, vais irritá-lo.

MERCÚCIO - Isto não pode irritá-lo. O que o irritaria seria evocar um espírito de estranha natureza no círculo de sua dama, deixando-o ali elevado até que ela o abatesse e esconjurasse. Isto lhe causaria algum despeito; mas, minha invocação é razoável e honesta, e só o conjuro em nome de sua amada para fazê-lo reaparecer.

BENVÓLIO - Vamos, talvez se haja escondido entre estas árvores para ficar unido com a noite úmida. Cego é seu amor e a obscuridade lhe convém mais.

MERCÚCIO - Se o amor é cego, não pode acertar no alvo! Agora, deve estar sentado debaixo de uma nespereira e ansiando que sua dama seja essa espécie de fruta que as criadas chamam de nêsperas, [20] quando estão rindo entre elas. Oh! Romeu, se ela fosse! Se ela fosse uma aberta... *et coetera* e tu, uma pêra pontuda! [21] Romeu, boa noite! Vou para minha cama de rodas! [22] Esta cama de

---

[18] Personagem de uma balada medieval.

[19] *The ape is dead, and I must conjure him.* A Rainha Isabel, estabilizadora da Igreja inglesa, vivia em luta com o papado e o rei da Espanha, sendo este último, principal paladino da igreja católica romana. Assim, os símios amestrados recebiam treinamento para fingir de morto quando se falava do Papa ou do rei da Espanha, mas ficavam logo de pé quando era pronunciado o nome da rainha inglesa.

[20] *Medlars* tem quase a mesma pronúncia do que *meddlerarse,* ou seja, para sugerir o orifício retal, daí a causa do riso das criadas.

[21] *Poperin pear* era uma pêra oriunda de Poperinghe (em Flandres) que tinha uma forma pontuda. Serve para continuar o sentido obsceno dos comentários de Mercúcio.

[22] *Truckle-bed* era uma pequena cama utilizada pelos serviçais, durante o dia rolada para debaixo da cama do senhor, sendo retirada durante a

campo é fria demais para que possa nela dormir! Venha, vamos embora!

BENVÓLIO - Vamos, porque é inútil procurar quem não quer ser encontrado. *(Saem.)*

CENA II

Jardim dos Capuletos.

Entra Romeu.

ROMEU - Ri das chagas quem jamais foi ferido! *(Aparece Julieta, em cima, em uma janela.)* Mas, silêncio! Que luz reluz através daquela janela! É o Oriente e Julieta é o Sol! Surge, claro sol, e mata a lua cheia de inveja, já doente e pálida de desgosto, vendo que tu, sua serva, és bem mais bela do que ela! Não a sirvas porque é invejosa! Seu traje de vestal é doentio e verde, e somente os bufões o usam. Rejeita-o! É minha dama! Ela é o meu amor! Oh! Se ela o soubera! Fala, entretanto, nada diz; mas que importa? Falam seus olhos; vou responder-lhes!... Sou muito atrevido. Não está falando comigo. Ditas das mais resplandecentes estrelas de todo o céu, tendo alguma ocupação, suplicaram aos olhos dela que brilhassem em suas esferas até que elas retornassem. Que aconteceria se os olhos dela estivessem no firmamento e as estrelas em sua cabeça? O fulgor de sua face envergonharia aquelas estrelas, como a luz do dia a de uma lâmpada! Seus olhos lançariam da abóbada celeste raios tão claros através da região etérea que cantariam as aves acreditando ter chegado a aurora!... Olhai como apoia o rosto na mão! Oh! Quisera eu ser uma luva sobre aquela mão para que pudesse tocar naquele rosto!

JULIETA - Ai de mim!

ROMEU - Está falando. Oh! Fala ainda, anjo luminoso! Porque esta noite apareces tão resplandecente sobre minha cabeça como um alado mensageiro do céu, diante dos olhos enlevados e maravilhados dos mortais que se inclinam para trás para contemplá-lo, quando ele galga as nuvens preguiçosas e navega no seio do ar.

JULIETA - Ó Romeu, Romeu! Por que és Romeu? Renega teu pai e recusa teu nome; ou, se não desejares, jura-me somente que me amas e não mais serei uma Capuleto.

---

noite para que o pajem, o bufão ou a dama de companhia dormissem.

ROMEU - *(À parte.)* Continuarei a ouvi-la ou vou falar-lhe agora?

JULIETA - Somente teu nome é meu inimigo. Tu és tu mesmo, sejas ou não um Montecchio. Que é um Montecchio? Não é mão, nem pé, nem braço, nem rosto, nem outra parte qualquer pertencente a um homem. Oh! Sê outro nome! Que há em um nome? O que chamamos de rosa, se tivesse outro nome, exalaria o mesmo perfume tão agradável; e assim, Romeu, se não se chamasse Romeu, preservaria essa cara perfeição que possui sem o título. Romeu, despoja-te de teu nome e, em troca de teu nome, que não faz parte de ti, toma-me toda inteira!

ROMEU - Tomo-te a palavra. Chama-me apenas "amor" e serei de novo batizado. Daqui para diante, jamais serei Romeu.

JULIETA - Que homem és tu, assim oculto pela noite, que surpreendes de tal modo meus segredos?

ROMEU - Com um nome, não sei como falar-te quem sou eu! Meu nome, santa adorada, é odioso para mim mesmo porque é teu inimigo e, se o tivesse escrito, teria despedaçado a palavra.

JULIETA - Meus ouvidos não beberam cem palavras ainda dessa língua, mas eu reconheço o som; não és Romeu? Não és um Montecchio?

ROMEU - Nem um nem outro, formosa donzela, se os dois te desagradam.

JULIETA - Como chegaste até aqui, dize-me e por quê? Os muros do jardim são altos e difíceis de galgar e o lugar é a morte, considerando-se quem sejas, se um de meus parentes aqui te encontrar.

ROMEU - Com as leves asas do amor, transpus estes muros porque os limites de pedra não servem de empecilho para o amor. E o que o amor pode fazer, o amor ousa tentar. Assim, teus parentes não me são obstáculos.

JULIETA - Se te virem, matar-te-ão.

ROMEU - Ai! Mais perigos há em teus olhos do que em vinte de suas espadas. Olha-me somente com doçura e estarei à prova da inimizade deles.

JULIETA - Por coisa alguma deste mundo quereria eu que te vissem aqui!

ROMEU - Tenho o manto da noite para ocultar-me dos olhos de teus parentes. Ama-me somente e que eles aqui me encontrem. É melhor que termine minha vida vítima do ódio que me dedicam do que aguardando teu amor, minha morte retardada.

JULIETA - Quem foi teu guia para a descoberta deste lugar?

ROMEU - Amor que foi o primeiro que me incitou a indagar; ele me deu conselho e eu lhe dei meus olhos. Não sou piloto; no entanto, mesmo que te achasses tão distante quanto a vasta costa banhada pelo mais longínquo oceano, eu me teria aventurado por tão bela mercadoria.

JULIETA - Tu sabes, a máscara da noite cobre meu rosto, senão um rubor de virgem teria enrubescido minhas faces pelo que me ouviste pronunciar esta noite. De bom grado guardaria as formalidades, de bom grado, de bom grado negaria o que falei. Mas, adeus lisonjas! Tu me amas? Sei que responderás que "sim", e eu acreditarei em tuas palavras; entretanto, se juras, poderás parecer falso, e dos perjúrios dos amantes, dizem que Júpiter se ri. Ó gentil Romeu! Se tu amas, proclama-o com sinceridade; ou se pensas que sou conquistável fácil demais, serei severa e esquiva, e direi não para que tu me faças a corte; mas, assim não sendo, nem pelo mundo todo. Em verdade, arrogante Montecchio, sou muito apaixonável e, por causa disto, poderás pensar que minha conduta seja bem leviana; mas, acredita-me, gentil-homem, mostrar-me-ei mais fiel do que aquelas que têm mais habilidade em dissimular. Devo confessar que deveria ter-me mostrado mais reservada, se não tivesses surpreendido minha verdadeira paixão amorosa, antes que estivesse prevenida. Perdoa, portanto, e não atribuas a leviano amor esta fraqueza minha, que de tal modo a escura noite revelou!

ROMEU - Senhora, juro por essa lua que coroa de prata as copas destas árvores frutíferas...

JULIETA - Oh! Não jures pela lua, a inconstante lua que muda todos os meses em sua órbita circular, a fim de que teu amor não se apresente igualmente variável.

ROMEU - Por que devo jurar?

JULIETA - Não jures de todo ou, se quiseres, jura pela tua graciosa pessoa que é o deus de minha idolatria e acreditar-te-ei!

ROMEU - Se o profundo amor de meu peito...

JULIETA - Bem, não jures. Embora em ti esteja minha alegria, nenhuma alegria me causa o juramento desta noite; é por demais brusco, temerário, inesperado, muito semelhante ao relâmpago que se extingue antes que possamos dizer: "Está relampejando!" Doce coração, boa noite! Este botão de amor, sazonado ao hálito ardente do estio, talvez se haja convertido em bela flor quando novamente voltarmos a ver-nos. Boa noite! Boa noite! Que tão doce e calmo repouso alcance teu coração, como o que se alenta dentro de meu peito!

ROMEU - Oh! Queres deixar-me assim tão insatisfeito?

JULIETA - Que satisfação podes ter esta noite?

ROMEU - A troca com o meu de teu fiel juramento de amor.

JULIETA - Já te entreguei o meu, antes que pedisses e quisera fazer-te de novo meu juramento.

ROMEU - Querias tomá-lo de mim? Para que fim, meu amor?

JULIETA - Para ser generosa e entregar-me a ti outra vez. Só aspiro à coisa que possuo. Minha bondade é tão ilimitada quanto o mar, e tão profundo como este é o meu amor. Quanto mais te dou, mais tenho, pois ambos são infinitos. Estou escutando ruídos lá dentro; adeus, querido amor! (*A ama chama de dentro.*) Já vou, boa ama! Doce Montecchio, sê fiel! Fica mais um pouco, eu voltarei. (*Sai.*)

ROMEU - Ó bendita, bendita noite! Quanto temo, sendo agora noite, que tudo isto não passe de um sonho por demais encantador e doce para ser verdadeiro! (*Volta Julieta, em cima.*)

JULIETA - Três palavras, querido Romeu, e ainda boa noite! Se teus pensamentos de amor são honestos e teu fim o matrimônio, envia amanhã, por intermédio de uma pessoa que procurarei mandar-te, uma palavra dizendo onde e a que horas queres que se verifique a cerimônia e colocarei minha sorte a teus pés, seguindo-te pelo mundo afora como meu dono e senhor.

AMA - *(Do interior.)* Senhora!

JULIETA - Já vou... Mas, se tuas intenções não são boas, eu te imploro...

AMA - (*Do interior.*) Senhora!

JULIETA - Já vou logo... Que cesses teus galanteios e me deixes só com minha dor. Amanhã, mandarei alguém.

ROMEU - Que assim seja minha alma tão feliz!

JULIETA - Mil vezes boa noite! (*Sai.*)

ROMEU - Maldita mil vezes, faltando tua luz!... O amor corre para o amor, como os escolares fogem dos livros; mas o amor se afasta do amor, como as crianças se dirigem para a escola com os olhos entristecidos. (*Retira-se lentamente. Reaparece Julieta, em cima.*)

JULIETA - Escuta! Romeu, escuta!... Oh! Quem me dera a voz do falcoeiro para atrair aqui novamente esse nobre açor! A escravidão é rouca e não pode falar alto, se não forçaria a gruta onde Eco dorme e poria sua aérea língua mais rouca que a minha com a repetição do nome de meu Romeu! Romeu!

ROMEU - É minha alma que me chama pelo nome. Como soa

argênteo e doce no meio da noite a voz dos amantes, semelhante à suavíssima música aos ouvidos absortos!

JULIETA - Romeu!

ROMEU - Meu amor?

JULIETA - A que horas te enviarei amanhã o mensageiro?

ROMEU - Na nona hora.

JULIETA - Não faltarei! Parece-me vinte anos até lá. Esqueci-me porque te chamei de volta.

ROMEU - Deixa-me ficar aqui até que te recordes.

JULIETA - Não poderia lembrar-me para que permanecesses sempre aí, recordando como tua companhia é grata para mim.

ROMEU - E eu esperarei sempre para continuares esquecida, esquecendo-me de qualquer outro lugar menos deste.

JULIETA - Já é quase dia. Quisera que partisses, mas que não fosse mais distante do que o pássaro que uma criança travessa solta, deixando que brinque um pouco, como pobre prisioneiro preso aos seus grilhões e que, com um fio de seda, o atrai para si outra vez, amorosamente ciumenta de sua liberdade.

ROMEU - Quisera ser teu pássaro!

JULIETA - Meu amor, bem quisera também; no entanto, eu te mataria por excesso de carinhos. Boa noite! Boa noite! A despedida é uma dor tão doce que estaria dizendo "Boa noite" até que o dia chegasse. *(Sai.)*

ROMEU - Que o sono desça sobre teus olhos e a paz em teu peito! Por que não sou sono e paz para tão docemente repousar?... Daqui irei à cela de meu pai espiritual para pedir-lhe auxílio e contar-lhe minha felicidade. *(Sai.)*

CENA III

Cela de Frei Lourenço.
Entra Frei Lourenço com um cesto.

FREI LOURENÇO - A aurora de olhos acinzentados sorri à torva noite, matizando as nuvens orientais com raias de luz e a mosqueada obscuridade cambaleia como um ébrio fora da senda do dia e longe das rodas de fogo do Titã. Agora, antes que o sol avance seu olho abrasador para dar ânimo ao dia e secar o úmido orvalho da noite, devo encher nosso cesto de vime com ervas malignas e flores de precioso suco. A terra, que é mãe da natureza, também é sua tumba. O que é sua fossa sepulcral, é seu materno seio; e dele, nascidos e criados em seus seios naturais, achamos seres de espécies variadas, excelentes muitos por suas muitas virtudes, nenhum sem alguma e todos, não obstante, diferentes! Imensa é a graça poderosa que reside nas ervas, plantas, pedras e em suas raras qualidades porque na terra não existe nada tão vil que não preste à terra algum benefício especial; nem há nada tão bom que, desviado de seu verdadeiro uso, não altere sua verdadeira origem, caindo no abuso. A própria virtude se converte em vício, mal aplicada e, às vezes, o vício se dignifica pela ação. Dentro do terno cálice desta débil flor residem o veneno e o poder medicinal. Por isso, sendo aspirada, deleita a todas e cada uma das partes do corpo; sendo degustada, porém, destrói o coração e todos os sentidos. Assim, dois reis inimigos acampam sempre no homem e nas plantas: a benignidade e a malignidade; e quando o pior predomina, imediatamente a gangrena da morte devora aquela planta. (*Entra Romeu.*)

ROMEU - Bom dia, padre!

FREI LOURENÇO - *Benedicite!* Que voz matinal tão docemente me saúda? Jovem filho, isso demonstra ânimo inquieto, dizer adeus à cama em hora tão matinal. A preocupação vela constantemente nos olhos do ancião e, onde se aloja a preocupação, nunca jazerá o sono; mas, onde a juventude incólume, com o cérebro livre de inquietudes, estende seus membros, lá deve reinar o sono de ouro. Portanto, teu madrugar me denuncia que alguma inquietude te despertou ou, não sendo assim, embora acreditando acertar, é que nosso Romeu não se deitou esta noite.

ROMEU - O final é a verdade. Meu repouso foi mais doce.

FREI LOURENÇO - Deus perdoe o pecado! Estiveste com Rosalina?

ROMEU - Com Rosalina, meu pai espiritual? Não; não me recordo mais desse nome e de sua amargura.

FREI LOURENÇO - Boa notícia, meu filho. Mas, onde estiveste então?

ROMEU - Antes que me torneis a perguntar, vou falar. Estive em uma festa com meu inimigo, onde, de repente, uma pessoa me feriu e por mim foi ferida também. O remédio de ambos depende de vosso amparo e santa medicina. Já não tenho mais ódio, santo varão, pois, como estais vendo, minha intercessão junto de vós serve também a meu inimigo.

FREI LOURENÇO - Sê claro, bom filho, e simples naquilo que

dirás. Uma confissão equívoca só encontra uma absolvição equívoca.

ROMEU - Então, sabei claramente que o caro amor de meu coração se pousou na bela filha do rico Capuleto e da mesma maneira que a amo, assim sou por ela amado. Só falta, pois, para nossa completa união, que vós nos unais em santo matrimônio. Quando, onde e como nos vimos, apaixonamo-nos e trocamos nossos votos de amor, eu vos contarei durante o caminho. O que vos rogo, agora, é que consintais em casar-nos ainda hoje.

FREI LOURENÇO - Por São Francisco! Que mudança é essa? Já te esqueceste de Rosalina, a quem amavas tão apaixonadamente? O amor dos jovens, em verdade, não está nos corações, mas de preferência nos olhos, Jesus, Maria! Que pranto copioso inundou tuas faces por Rosalina! Quanta água salgada vertida em vão para sazonar um amor que não tem nem gosto dela! O sol ainda não purificou o céu de teus suspiros, teus antigos gemidos repercutem ainda em meus velhos ouvidos! Olha, aqui sobre tua face, aparece a marca de uma lágrima antiga que ainda não foi limpa! Se alguma vez foste tu mesmo e se eram tuas essas dores, tu e essas dores éreis somente para Rosalina. E mudaste? Profere, então, esta sentença: "Bem podem cair as mulheres quando os homens não possuem firmeza".

ROMEU - Muitas vezes me repreendeste por amar Rosalina.

FREI LOURENÇO - Por idolatrá-la, não por amá-la, meu filho.

ROMEU - E me aconselhastes a enterrar aquele amor.

FREI LOURENÇO - Mas, não em um túmulo onde se coloca um para fazer surgir um outro.

ROMEU - Eu vos suplico, não me repreendais! Aquela a quem agora amo me paga bondade por bondade e amor por amor. A outra assim não fazia.

FREI LOURENÇO - Oh! Ela bem sabia que teu amor lia de cor, sem haver aprendido a soletrar. Mas, vem jovem inconstante, vem comigo. Ajudar-te-ei por uma razão: esta aliança pode ser proveitosa, mudando em puro afeto o rancor de vossas famílias.

ROMEU - Oh! Partamos! Importa-me agir depressa.

FREI LOURENÇO - Sábia e calmamente, pois quem muito corre pode cair. *(Saem.)*

CENA IV

Uma rua.

Entram Benvólio e Mercúcio.

MERCÚCIO - Onde diabo estará esse Romeu? Não retornou para casa esta noite?

BENVÓLIO - Para a casa do pai, não. Falei com um criado.

MERCÚCIO - Ah! Essa pálida jovem de coração endurecido, essa Rosalina, atormenta-o de um modo que acabará por enlouquecê-lo.

BENVÓLIO - Teobaldo, parente do velho Capuleto, enviou-lhe uma carta para a casa do pai.

MERCÚCIO - Um desafio, por minha vida!

BENVÓLIO - Romeu lhe responderá.

MERCÚCIO - Qualquer homem que saiba escrever pode responder a uma carta.

BENVÓLIO - Não, ele responderá ao autor da carta, como sabe desafiar quando é desafiado.

MERCÚCIO - Ai, pobre Romeu! Já está morto! Apunhalado pelos olhos negros de uma branca donzela. Traspassado pelos ouvidos por uma melodia de amor. Dividido o centro do seu coração por uma certeira flechada do pequeno arqueiro cego. É o homem para enfrentar Teobaldo?

BENVÓLIO - Ora essa! Quem é esse Teobaldo?

MERCÚCIO - Mais do que o Príncipe dos Gatos, [23] posso assegurar-te. Oh! É o mais valente capitão das galanterias! Ele se bate, como cantarias uma canção seguindo as notas! Conta o tempo, o intervalo e a medida. Da-te por pausa o silêncio de uma mínima; uma, duas e a terceira, no peito. O verdadeiro carniceiro com botões de seda, um duelista, um cavalheiro de alta linhagem, da primeira e segunda causa. Ah! O imortal passado! O *punto reverso! O hai!* [24]

BENVÓLIO - O quê?

MERCÚCIO - A peste para tão estúpidos, sussurantes e fantásticos petimetres! Esses novos afinadores de bom-tom! "Por Jesus,

---

[23] Príncipe dos Gatos é uma referência ao *Roman de Renart*, em que Tibert é justamente o Príncipe dos Gatos e, como essa personagem, em inglês, aparece com o nome de Tybalt, daí a razão do comentário de Mercúcio.

[24] A esgrima, naquele tempo, era de origem italiana, empregando todos os termos técnicos vindos da península.

uma lâmina muito boa! Um belo latagão! Uma prostituta muito boa!". Então, não é uma coisa lamentável, meu digno senhor, que sejamos assim atormentados por essas moscas estrangeiras, esses figurinos da moda, esses *pardonnez-moi* tão apegados às novas formas que não podem assentar-se confortavelmente em um velho banco? Oh! Como dizem bons, bons! (*Entra Romeu.*)

BENVÓLIO - Está chegando Romeu! Está chegando Romeu!

MERCÚCIO - Sem ova, como um arenque seco! Oh! Carne, carne, como está peixificada! Agora está embalado pelas rimas de Petrarca. Laura, perante sua dama, não passa de uma cozinheira (pela Virgem, possuía ela também melhor amante para colocá-la em poesia); Dido, uma desleixada; Cleópatra, uma cigana; Helena e Hero, insignificantes meretrizes; Tisbe, olhos cinzentos ou qualquer coisa semelhante, sem nenhum interesse. *Signior* Romeu, *bonjour!* Aí vai um cumprimento em francês para teus calções à francesa. Tu nos pregaste um logro a noite passada.

ROMEU - Bom dia para ambos! Que logro vos preguei?

MERCÚCIO - É que correste como a moeda falsa, rapaz. Não compreendes?

ROMEU - Perdoa-me, bom Mercúcio! Tinha um assunto importante e, em casos semelhantes, bem pode um homem violar a cortesia.

MERCÚCIO - Ou seja, que em um caso como o teu um homem é obrigado a dobrar os jarretes.

ROMEU - Para fazer uma reverência cortês, por certo.

MERCÚCIO - Compreendeste a coisa com toda a galanteria.

ROMEU - Uma explicação perfeitamente cortês.

MERCÚCIO - Pois, então, sou o verdadeiro modelo da cortesia.

ROMEU - Tu és a flor da cortesia.

MERCÚCIO - Sem dúvida.

ROMEU - Ora, então meus escarpins estão bem floridos.

MERCÚCIO - Muito bem. E continua-me esta brincadeira até que haja usado teus sapatos; quando tua única sola tiver entregue o espírito, a brincadeira continuará sozinha, depois do uso, singularmente espiritual.

ROMEU - Tua brincadeira só possui uma sola e ela só é espiritual pela pobreza de espírito.

MERCÚCIO - Ajuda-me, bondoso Benvólio, meu espírito está falhando.

ROMEU - Açoita e esporeia! Açoita e esporeia! Ou gritarei que a partida está ganha.

MERCÚCIO - Claramente, se teu espírito parte para a caça do ganso selvagem, estou vencido, pois tens mais ganso selvagem[25] em um só de teus sentidos do que eu em todos os meus cinco reunidos. Mas que temos nós que ver com gansos?

ROMEU - Nunca estiveste comigo em qualquer lugar que não fosse para bancar de ganso.

MERCÚCIO - Morder-te-ei a ponta da orelha devido a essa brincadeira.

ROMEU - Não, não me mordas, meti bom ganso.

MERCÚCIO - Teu espírito é uma verdadeira maçã azeda; é um molho muito picante.

ROMEU - E não fica muito bem servido em volta de um pequeno ganso?

MERCÚCIO - Oh! É um espírito de pele de cabrito que se estica quando é puxado e que, do tamanho de um polegar, chega ao tamanho de uma grande vara!

ROMEU - E eu o estico ainda um pouco por causa de tua palavra "grande", a qual, acrescentada ao ganso, comprova que tu és um grande ganso.

MERCÚCIO - Concordo. Não é melhor isto que gemer de amor? Estás agora sociável, agora és Romeu. Agora, és o que és, por arte bem como por natureza. Porque esse amor chorão é como um grande imbecil que corre, pondo a língua para fora, e vai esconder o brinquedo em um buraco.

BENVÓLIO - Pára, pára aí.

MERCÚCIO - Desejas que pare, quando ainda me falta o rabo de minha história?

BENVÓLIO - Sim, senão o rabo de tua história ficaria muito comprido.

MERCÚCIO - Oh! Estás equivocado, eu a teria encurtado, pois acabara de chegar à profundidade de minha história e não tinha intenção de tratar do assunto por mais tempo.

ROMEU - Muito bem engrenado! (*Entram a ama e Pedro.*)

MERCÚCIO - Uma vela, uma vela!

BENVÓLIO - Duas, duas; saia e calça!

AMA - Pedro!

---

[25] Há uma série de trocadilhos com *goose* (ganso), que também significa bobo, tolo, tolice, asneira, etc.

PEDRO - Que é?

AMA - Meu leque, Pedro.

MERCÚCIO - Bondoso Pedro, para esconder-lhe o rosto; pois o mais belo dos dois é o leque.

AMA - Deus vos dê bom dia, cavalheiros.

MERCÚCIO - Deus vos dê boa tarde, bela dama.

AMA - Já é boa tarde?

MERCÚCIO - Não é menos, posso assegurar-vos porque o dedo obsceno do quadrante solar está agora tocando o pau do meio-dia. [26]

AMA - Que é isto? Ah! Que homem sois vós.

ROMEU - Minha senhora, um homem que Deus criou para perder-se a si mesmo.

AMA - Muito bem falado! "Para se perder a si mesmo", não é?... Cavalheiros, algum de vós pode dizer-me onde posso encontrar o jovem Romeu?

ROMEU - Eu posso dizer-vos, porém o jovem Romeu estará mais velho quando o encontrardes do que quando o procuráveis. Eu sou o mais jovem desse nome, em falta de outro pior.

AMA - Dizeis bem.

MERCÚCIO - O pior é então o bom? Muito bem falado, por minha fé! Sabiamente, sabiamente!

AMA - Se vós sois ele, senhor, desejo fazer-vos uma confidência.

BENVÓLIO - Vai convidá-lo para alguma ceia.

MERCÚCIO - Alcoviteira, alcoviteira, alcoviteira! Olá!

ROMEU - Que encontraste?

MERCÚCIO - Nenhuma lebre, rapaz, a não ser uma dessas que são servidas em empadas na Quaresma, ficam passadas e mofadas antes de serem consumidas. (*Canta.*)

Uma velha lebre mofada,
e uma velha lebre mofada,
na Quaresma é um bom manjar;
mas a lebre que está mofada
para vinte é demasiada
quando mofa ao começar.

Romeu, irás à casa de teu pai? Jantaremos lá.

ROMEU - Vou daqui a pouco.

MERCÚCIO - Adeus, velha senhora! Adeus! *(Cantando.)*

---

[26] Trocadilho obsceno com a palavra *prick,* significando o membro viril.

"Senhora, senhora, senhora". (*Saem Mercúcio e Benvólio.*)

AMA - Vão com Deus! Por favor, senhor, que desaforado vendeiro era esse, tão cheio de suas bugigangas?

ROMEU - Um cavalheiro, ama, que gosta de se ouvir falar e que fala mais em um minuto do que não fará em um mês.

AMA - Se disser alguma coisa contra mim, darei com ele no chão, por mais robusto que seja e mesmo mais vigoroso do que vinte patifes de sua laia. E se não puder, procurarei quem o possa. Sem-vergonha ordinário! Não sou uma dessas namoradeiras, não sou uma dessas debochadas. (*Dirigindo-se a Pedro.*) E tu ficas assim, como um imbecil, permitindo que qualquer um use de mim à vontade?

PEDRO - Não vi nenhum homem se servir à vontade de vós para seu prazer; e se tivesse visto, teria rapidamente desembainhada minha arma, posso assegurar-vos. Ninguém me ganha ao desembainhar uma espada se vejo ocasião para uma honrosa desputa e estando a lei de meu lado.

AMA - Por Deus, estou tão irritada ainda que me tremem as carnes de todo o corpo! Vil tratante!... Permiti-me, senhor, uma palavra. Como ia dizendo, minha jovem senhora me encarregou de procurar-vos e, quanto ao que me ordenou dizer-vos, guardarei para mim; mas, antes de tudo, se faz necessário que vos diga que, se a conduzísseis ao paraíso dos bobos, como se costuma dizer, seria portar-se de um modo indigno porque a nobre donzela é jovem e, portanto, se procedêsseis com duplicidade com ela, com franqueza, seria uma coisa feia que não deve ser feita a uma donzela nobre e também uma conduta muito reprovável.

ROMEU - Ama, recomenda-me à tua senhora e dona. Juro diante de ti...

AMA - Que bom coração! Por minha fé que tudo lhe direi. Senhor, que mulher feliz será ela!

ROMEU - Que lhe contarás, ama? Não estás me escutando.

AMA - Eu lhe contarei, senhor, que fizestes um juramento; o que, segundo o considero, é um oferecimento cavalheiresco.

ROMEU - Dize-lhe que descubra alguma razão para ir esta tarde confessar-se e lá, na cela de Frei Lourenço, o próprio nos confessará e casará. Aqui está pelo teu trabalho.

AMA - De modo algum, senhor; nem um *penny*.

ROMEU - Vamos, aceita!

AMA - Então, hoje de tarde, senhor? Bem, lá estará.

ROMEU - E tu, benévola ama, esperarás atrás do muro da abadia. Daqui a uma hora meu criado se encontrará contigo e te levará cordas, formando a escada que me conduzirá ao cimo de minha ventura, durante a noite silenciosa. Adeus! Sê fiel e eu recompensarei teu serviço. Adeus! Recomenda-me à tua senhora!

AMA - Pois que Deus do céu vos bendiga! Escutai, senhor.

ROMEU - Que desejas, minha cara ama?

AMA - Vosso criado é de segurança? Nunca ouviste dizer: "Dois homens podem guardar um segredo se um deles for afastado"?

ROMEU - Garanto-te que meu criado é tão seguro quanto o aço.

AMA - Bem, senhor... Minha senhora é a mais bela criatura!... Senhor, senhor! Quando era uma criancinha... Oh! Há aqui um nobre cavalheiro, um certo Páris que, de boa vontade, quisera abordá-la; porém ela, alma bondosa, prefere ver um sapo, um sapo verdadeiro, a vê-lo. Às vezes, eu a faço ficar irritada, dizendo-lhe que Páris é o homem de que ela necessita; pois podeis acreditar-me, quando lhe digo isso fica mais descorada do que o pano mais pálido do mundo universo. Rosmaninho e Romeu não começam ambos com a mesma letra?

ROMEU - Sim, ama; mas, que quer dizer isto? Ambos com R.

AMA - Ah! Farsante! É o nome do cão. [27] O R é para o... Não, sei eu que começa com outra letra... e ela fez as mais belas histórias a esse respeito, sobre vós e o Rosmaninho, que, estou certa, gostaríeis bem de escutar.

ROMEU - Recomenda-me à tua senhora!

AMA - Sim, mil vezes. (*Sai Romeu.*) Pedro!

PEDRO - Aqui estou!

AMA - Pedro, segura o meu leque e anda na frente. Depressa! (*Saem.*)

---

[27] *That's the dog's name:* nas gramáticas usadas nas escolas do tempo, a letra *R* (som de *ar*) era exemplificada como o ronco do cão, sendo também a sílaba inicial de *arse*, palavra à qual a ama faz claramente alusão.

CENA V

Jardim dos Capuletos.
Entra Julieta.

JULIETA - O relógio soava nove horas quando a ama partiu. Fez promessas de voltar em meia hora. Talvez não tenha podido encontrá-lo! Não, impossível. Oh! Ela é coxa! Os arautos do amor deviam ser os pensamentos que correm dez vezes mais depressa do que os raios solares, quando expulsam as sombras das colinas nubladas. Por isso, puxam a carruagem do amor rápidas pombas e Eros, semelhante ao vento, possui asas. Agora, o sol está sobre o mais alto monte de sua jornada diária e três horas intermináveis transcorreram de nove às doze. A ama ainda não retornou. Se tivesse afeições e ardente sangue juvenil, ela se teria posto tão rapidamente em movimento quanto uma bola. Minhas palavras a teriam atirado para o meu amor e as dele para mim. Mas, os velhos, muitas vezes, parecem estar mortos, pesados, lentos, entorpecidos e pálidos como chumbo. (*Entra a ama com Pedro.*) Oh! Deus, está chegando! Oh! Doce ama, que novas me trazes? Encontraste-o? Manda teu empregado embora.

AMA - Pedro, espera na porta. (*Sai Pedro.*)

JULIETA - Então, doce e bondosa ama... Oh! Senhor, por que tens o ar triste? Mesmo que as notícias sejam tristes, dize-as com alegria; se forem boas envergonhas as músicas das doces novas tocando-as com um ar tão desagradável.

AMA - Estou cansada. Deixai-me descansar um momento. Ai, como meus ossos estão doendo! Que corrida que eu dei!

JULLETA - Queria que tivesses meus ossos e eu tuas notícias. Vamos, suplico-te, fala bondosa ama, fala!

AMA - Jesus, que pressa! Não podeis esperar só um momento? Não estais vendo que estou sem fôlego?

JULIETA - Como estás sem fôlego, quando tens fôlego para dizer-me que estás sem fôlego? A desculpa que me dás para tua demora é maior do que a história de que tu te desculpas. Tuas notícias são boas ou más? Responde-me; dize qualquer coisa e esperarei os detalhes; faze-me ficar satisfeita, são boas ou más?

AMA - Bem, fizestes uma escolha inadequada; não sabeis como escolher um homem. Romeu! Não, ele não. Embora o rosto dele seja melhor do que o de qualquer homem, contudo possui melhores pernas do que todo mundo. Quanto à mão, ao pé, ao corpo, embora nada haja a dizer, estão acima de qualquer comparação. Não é a flor da cortesia, mas estou certa de que é tão gentil quanto um cordeiro. Andai, pequena, servi a Deus! Ah! Já jantaram aí em casa?

JULIETA - Não, não. Mas, tudo isso eu já sabia. Que diz ele a respeito de nosso casamento? Que diz?

AMA - Senhor, como estou com a cabeça doendo! Que cabeça eu tenho! Está batendo, como se fora arrebentar em vinte pedaços! Minhas costas do outro lado!... Ai! Minhas costas, minhas costas! Maldito seja vosso coração que me manda de um lado para outro para apanhar a morte, galopando de cima para baixo!

JULIETA - Juro-te que sinto imensamente que não te sintas bem. Querida, querida ama, dize-me que proferiu meu amor?

AMA - Vosso amor diz, como honrado cavalheiro, cortês, amável, galhardo e posso assegurar-vos, como virtuoso... Onde está vossa mãe?

JULIETA - Onde está minha mãe? Ora, está lá dentro! Onde poderia estar? Que estranho modo de responder! "Vosso amor, diz como honrado cavalheiro, onde está vossa mãe?".

AMA - Oh! Pela Virgem Santíssima! Estais tão ardente assim? Ide, por Deus! E tudo isto é a cataplasma para meus lastimosos ossos? De agora por diante levareis os recados pessoalmente!

JULIETA - Quanto barulho! ... Vamos, que diz Romeu?

AMA - Tendes permissão para confessar-vos hoje?

JULIETA - Tenho.

AMA - Então, correi logo para a cela de Frei Lourenço. Lá vos espera um marido para fazer-vos sua esposa. Agora, o licencioso sangue vos está subindo ao rosto! À menor novidade, ficará escarlate. Correi para a igreja! Devo ir por outro caminho, para arranjar uma escada, pela qual vosso amor deve subir a um ninho de pássaro, quando estiver escuro. Eu sou o animal de carga e sofro para vosso prazer; porém, dentro em pouco, sereis vós que carregareis o peso, assim que a noite chegar. Ide, eu vou jantar. Correi para a cela!

JULIETA - Corramos à suprema felicidade! Honrada ama, adeus. (*Saem.*)

CENA VI

Cela de Frei Lourenço.
Entram Frei Lourenço e Romeu.

FREI LOURENÇO - Sorriam os céus a esta sagrada cerimônia para que os tempos futuros não nos condenem com o pesar.

ROMEU - Amém, amém! Mas, venham como quiserem as amarguras, nunca poderão contrabalançar o gozo que sinto, um só minuto, na presença de minha amada. Juntai nossas mãos com santas palavras e que então a morte, devoradora do amor, aja como quiser! Basta-me poder chamá-la de minha.

FREI LOURENÇO - Esses transportes violentos têm um fim igualmente violento e morrem em pleno triunfo, como o fogo e a pólvora que se consomem ao se beijarem. O mais doce mel é repugnante pela própria delícia e estraga o apetite pelo seu excelente gosto. Ama, portanto, com moderação; assim se conduz o verdadeiro amor. Tão tarde chega quem depressa demais vai, como quem vai por demais lentamente. (*Entra Julieta.*) Está chegando a dama! Oh! Jamais roçará um pé tão de leve o sílex eterno! Um apaixonado poderia cavalgar, sem cair, os tenuíssimos filamentos que se espreguiçam no ar alegre do verão. Como é leve a vaidade!

JULIETA - Boa tarde a meu confessor espiritual!

FREI LOURENÇO - Romeu te agradecerá por nós ambos, minha filha.

JULIETA - Igual desejo a ele para que sua gratidão não seja excessiva.

ROMEU - Ah! Julieta! Se a medida de tua ventura já está ultrapassada, como está a minha e tens maior arte para expressá-la, perfuma com tua inspiração o ar em torno e deixa que a melodiosa música de tua voz cante a sonhada felicidade que ambos experimentamos por causa deste grato encontro!

JULIETA - O sentimento, mais rico em matéria do que em palavra, glorifica-se de sua substância e não de seu ornamento. Somente os mendigos podem contar suas riquezas. Meu verdadeiro amor cresceu até ao excesso, de tal modo que não mais posso somar a metade de meu tesouro.

FREI LOURENÇO - Vinde, vinde comigo e agiremos rapidamente; porque, com vossa permissão, não vos permitirei permanecer sós até que a Santa Igreja vos haja incorporado os dois em um só. (*Saem.*)

ATO TERCEIRO

CENA I

Uma praça pública.

Entram Mercúcio, Benvólio, um pajem e servidores.

BENVÓLIO - Por favor, bom Mercúcio, retiremo-nos! O dia está quente, os Capuletos estão ausentes e, se nós os encontrarmos, não escaparemos de uma briga, pois agora, nestes dias quentes, ferve o sangue frenético.

MERCÚCIO - Tu és como um desses bravos que, ao adentrarem os umbrais de uma taverna, atiram a espada sobre a mesa dizendo: "Queira Deus que não necessite de ti!" E apenas haja produzido resultado o segundo copo, esgrimem-na contra o taverneiro quando na verdade não havia necessidade de tal coisa.

BENVÓLIO - Eu sou como esses bravos?

MERCÚCIO - Vamos, vamos! Tu és uma criatura de um furor tão arrebatado como não há igual na Itália e depressa ficas encolerizado quando te sentes provocado.

BENVÓLIO - E que mais?

MERCÚCIO - Nada. Se houvesse dois iguais, dentro em breve teríamos um, pois um teria matado o outro. Tu! Mas tu procuras briga com homens porque têm um cabelo na barba a mais ou a menos do que tu! Brigarias com um homem por quebrar castanhas, tendo como único motivo que teus olhos são castanhos. Que olho, a não ser olho semelhante, iria descobrir tal motivo para briga? Tão repleta de querelas está tua cabeça como de alimento um ovo; e, apesar disto, à força de golpes e pancadas, ficou oca como um ovo. Certa vez, tu te bateste com um homem que estava tossindo na rua porque despertara teu cão que estava dormindo ao sol. Não lutaste com um alfaiate que estava usando seu gibão novo antes da Páscoa? E com um outro porque prendia os sapatos novos com fitas velhas? E ainda queres ensinar-me a escapar de pendências?

BENVÓLIO - Se eu fosse tão apto a querelar como tu és, qualquer homem poderia comprar o feudo simples de minha vida por uma hora e um quarto.

MERCÚCIO - O feudo simples de tua vida! Oh! Simplório! *(Entram Teobaldo e outros.)*

BENVÓLIO - Por minha cabeça, estão chegando os Capuletos!

MERCÚCIO - Por meus calcanhares, não me importo!

TEOBALDO - Segui-me de perto, pois desejo falar-lhes. Boa tarde, cavalheiros. Uma só palavra com um de vós.

MERCÚCIO - E só uma palavra com um de nós? Juntai-a com alguma outra coisa para que sejam uma palavra e um golpe!

TEOBALDO - Bastante disposto me acharei para isto, senhor, se me derdes ocasião.

MERCÚCIO - Não poderíeis agarrar uma ocasião sem que ela vos fosse oferecida?

TEOBALDO - Mercúcio, estás concertado com Romeu...

MERCÚCIO - Concertado? Pensas que somos menestréis? E se pensas que somos menestréis, só esperes ouvir discordâncias. Aqui está meu arco de violino! Aqui está o que te fará dançar! Concertado! Ora essa!

BENVÓLIO - Estamos falando em um lugar público muito freqüentado. Procuremos um lugar mais afastado e raciocinemos serenamente sobre vossos agravos, ou retiremo-nos sem mais nada. Todos os olhos estão fixados sobre nós.

MERCÚCIO - Os olhos dos homens foram feitos para ver, deixa-os olhar; não me mexerei para dar prazer a ninguém. (*Entra Romeu.*)

TEOBALDO - Bem, ficai em paz, senhor. Está chegando meu homem. [28]

MERCÚCIO - Que seja enforcado, senhor, se está vestindo vossa libré! Por minha fé! Ele vos seguirá se fordes ao campo, neste caso podereis considerá-lo vosso "homem".

TEOBALDO - Romeu, o ódio que tenho por vós não pode encontrar melhor expressão do que esta: és um covarde!

ROMEU - Teobaldo, a razão que tenho para estimar-te desculpa

---

[28] *Man* (homem) é usado no sentido de empregado, servidor, seguindo-se a resposta de Mercúcio, que só poderia considerá-lo criado se estivesse vestido com sua libré.

o ódio de similar saudação. Não sou um covarde. Sendo assim, adeus, pois estou vendo que não me conheces!

TEOBALDO - Rapaz, isto tudo não pode perdoar as injúrias que me fizeste! Portanto, vira-te e desembainha tua espada!

ROMEU - Protesto, nunca te injuriei, mas estimo-te mais do que possas presumir, até que saibas a razão de meu afeto. Assim, pois, bondoso Capuleto (cujo nome tão ternamente estimo quanto o meu próprio), considera-te satisfeito.

MERCÚCIO - Oh! Calma, desonrosa e vil submissão! *Alla stoccata* se acaba com isso! (*Puxa a espada.*) Teobaldo, caça-ratos,[29] queres dar uma volta?

TEOBALDO - Que desejas de mim?

MERCÚCIO - Bondoso Rei dos Gatos, nada, só uma de vossas nove vidas, com a qual farei o que bem me pareça e, em seguida, segundo a maneira de conduzir-vos, espancarei as outras oito. Quereis puxar vossa espada pelas orelhas? Vamos depressa, senão a minha irá em cima de vossas orelhas antes que a vossa esteja de fora.

TEOBALDO - Estou a vosso dispor. (*Desembainha.*)

ROMEU - Gentil Mercúcio, embainha tua espada!

MERCÚCIO - Vamos, senhor, vejamos vosso passado! (*Lutam.*)

ROMEU - Tira tua espada, Benvólio; vamos abater-lhes as armas! Cavalheiros, tendo dignidade, impedi esse ultraje! Teobaldo! Mercúcio! O príncipe vetou expressamente os combates nas ruas de Verona! Pára, Teobaldo! Bom Mercúcio! (*Teobaldo fere Mercúcio por debaixo do braço de Romeu e foge com seus companheiros.*)

MERCÚCIO - Estou ferido. Malditas sejam vossas famílias! Estou liquidado! Já foi embora? Não, ele foi atingido?

BENVÓLIO - Estás ferido?

MERCÚCIO - Sim, sim, um arranhão, um arranhão... Basta. Onde está meu pajem? Anda, rapaz, procura um cirurgião! (*Sai o pajem.*)

ROMEU - Coragem, meu caro amigo! O ferimento não é grande.

MERCÚCIO - Não; não é tão profundo quanto um poço, nem tão largo quanto o portal de uma igreja; mas, é suficiente para produzir efeito. Perguntai amanhã por mim e encontrar-me-eis um homem sério como um túmulo.[30] Estou amaldiçoado, posso garantir-vos,

---

[29] Nova referência a Tibert do *Roman de Renart*.

[30] Há um trocadilho com a palavra *grave*, que tanto pode ser grave, sério, como túmulo, entre várias outras palavras.

para este mundo! Que uma praga dizime vossas famílias!... Irra, um cão, um rato, um camundongo, um gato, exterminar assim um homem com um arranhão! Um fanfarrão, um velhaco, um canalha, que se bate segundo um tratado de aritmética! Por que diabo te interpuseste entre nós? Fui ferido por debaixo de teu braço.

ROMEU - Fiz com a melhor intenção.

MERCÚCIO - Benvólio, ajuda-me a entrar em alguma casa ou desfalecerei!... Que a peste caia sobre vossas casas! Transformaram-me em carne para verme! Já tenho meu quinhão! E bom! Vossas Famílias! (*Saem Mercúcio e Benvólio.*)

ROMEU - Esse gentil-homem, parente próximo do príncipe, meu amigo verdadeiro, ganhou essa ferida mortal para defender minha causa! Minha honra está manchada com o ultraje de Teobaldo! Teobaldo que, não há uma hora, é meu primo!... Oh! Doce Julieta, tua beleza me tornou efeminado, abrandou em mim o aço de meu valor! *(Volta Benvólio.)*

BENVÓLIO - Romeu, Romeu! Está morto o bravo Mercúcio! Aquele galante espírito, que tão prematuramente recusou a terra, ascendeu às nuvens!

ROMEU - O negro destino deste dia sobre novos dias está suspenso! Este apenas inicia a desgraça que outros terminarão! (*Volta Teobaldo.*)

BENVÓLIO - Novamente de volta o furioso Teobaldo!

ROMEU - Vivo e triunfante! E Mercúcio morto! Retorna ao céu, clemente brandura e seja meu guia agora a fúria dos olhos ardentes! Teobaldo devolvo-te o covarde que me lançaste ainda há pouco! A alma de Mercúcio está muito próxima sobre nossas cabeças, esperando que a tua vá fazer-lhe companhia. Tu, eu ou ambos devemos ir juntar-nos a ele.

TEOBALDO - Tu, estúpido rapaz, que eras companheiro dele, com ele partirás.

ROMEU - Isto decidirá! (*Lutam; Teobaldo cai morto.*)

BENVÓLIO - Romeu, vai-te, foge! Os cidadãos para aqui se dirigem e Teobaldo está morto. Não permaneças aí parado! O príncipe te condenará à morte se fores preso! Vai-te! Foge! Longe daqui!

ROMEU - Oh! Sou joguete do destino!

BENVÓLIO - Que fazes aí parado? (*Entram cidadãos, etc.*)

PRIMEIRO CIDADÃO - Para que lado fugiu o matador de Mercúcio? Teobaldo, esse assassino, para onde escapou?

BENVÓLIO - Lá está esse Teobaldo?

PRIMEIRO CIDADÃO - Levantai-vos, senhor! Segui-me, em nome do príncipe eu vos acuso. Obedecei-me. (*Entram o Príncipe com séquito, Montecchio, Capuleto, as respectivas esposas e outros.*)

PRÍNCIPE - Onde estão os vis iniciadores desta briga?

BENVÓLIO - Ó nobre príncipe! Posso revelar todo o desenrolar desta disputa fatal. Ali jaz morto pelo jovem Romeu o homem que matou teu parente, o bravo Mercúcio.

SENHORA CAPULETO - Teobaldo, meu sobrinho! Oh! O filho de meu irmão! Ó príncipe! Ó meu sobrinho! Ó meu marido! O sangue de meu parente mais caro foi entornado! Príncipe, se sois justo, por nosso sangue, derrama o sangue de Montecchio! Ó meu sobrinho, meu sobrinho!

PRÍNCIPE - Benvólio, quem começou esta contenda?

BENVÓLIO - Teobaldo, que aqui jaz morto, a quem deu a morte a mão de Romeu. Romeu, falando-lhe com cortesia, pedia-lhe que considerasse que a querela era fútil e invocava ainda vossa alta vontade. Dizia tudo isso com uma voz tranqüila e com ar calmo, os joelhos humildemente flexionados, mas não pôde fazer trégua com a cólera desarranjada de Teobaldo. Este, surdo à paz, logo se atira com o aço perfurante em direção ao peito do valoroso Mercúcio, o qual, todo raivoso, opõe ponta contra ponta mortal e, com marcial desdém aparta de seu peito com uma mão a fria morte, ao passo que com a outra devolve-a a Teobaldo que a repele com destreza. Romeu exclama: “Parai, amigos! Separai-vos!” e, mais rápido do que sua língua, seu hábil braço abaixa as duas pontas e se precipita entre eles, mas, embaixo de seu braço, um traiçoeiro golpe de Teobaldo atinge a vida de Mercúcio. Teobaldo foge e, pouco depois, volta em direção de Romeu que já estava começando a pensar em vingança; como raios, eles se atiram um contra o outro, pois antes que pudera tirar minha espada para separá-lo, Teobaldo estava morto e sucumbindo, e Romeu empreendeu a fuga. Tal é a verdade ou Benvólio seja condenado à morte.

SENHORA CAPULETO - Ele é um parente dos Montecchios! A afeição o faz mentir! Não está proferindo a verdade! Uns vinte deles lutaram nesta negra peleja e todos os vinte só puderam tirar uma vida!... Peço justiça, que vós príncipe deveis conceder-me. Romeu matou Teobaldo, Romeu deve perder a vida.

PRÍNCIPE - Romeu o matou, ele matou Mercúcio. Quem pagará agora o preço deste estimado sangue?

MONTECCHIO - Romeu não, príncipe, ele era amigo de

Mercúcio. Sua culpa foi acabar o que a lei devia cortar: a existência de Teobaldo.

PRÍNCIPE - E por esta ofensa, imediatamente nós o exilamos daqui. O processo que seguem vossos ódios é de meu interesse também! Meu sangue está correndo por causa de vossas ferozes contendas! Mas, eu vos imporei um castigo tão duro que todos vós lastimareis a perda dos meus. Ficarei surdo aos rogos e desculpas; nem lágrimas nem queixumes serão suficientes para reparar tais abusos; de modo que não as ponhais em prática. Saia Romeu daqui o mais depressa possível ou, se for descoberto, será essa sua última hora! Levai daqui esse corpo e respeitai nossa vontade! A clemência seria assassina se perdoasse aos que matam! (*Saem.*)

CENA II

Jardim dos Capuletos.

Entra Julieta.

JULIETA - Galopai depressa, corcéis de fogosos pés, em direção da morada de Febo! Um auriga como Fáeton vos açoitaria, lançando-vos ao ocaso e imediatamente traria a noite tenebrosa!... Estende teu véu espesso, noite protetora do amor!... Fechem-se os olhos que vagam errantes, voe Romeu para meus braços, inadvertido e sem que o percebam!... Para celebrarem seus amorosos ritos, basta aos amantes a luz de seus próprios atrativos. E como o amor é cego, combina melhor com a noite! Vem, noite complacente, plácida matrona, toda enlutada, e ensina-me a perder uma partida já ganha, jogada entre duas virgindades sem mácula! Cobre com teu manto de trevas o sangue indômito que arde em minhas faces até que o tímido amor, já mais ousado, aprecie como pura oferenda o verdadeiro afeto. Vem, noite! Vem, Romeu! Vem tu, dia da noite, pois, sobre as asas da noite, parecerás mais branco do que a neve recém-pousada sobre um corvo!... Vem, noite gentil!... Vem, amorosa noite morena... Dá-me meu Romeu!... E quando ele morrer, apanha-o e divide-o em pequeninas estrelas! Ele tornará tão bela a face do céu que o mundo inteiro ficará apaixonado pela noite e desistirá de render culto ao sol deslumbrador!... Oh! Comprei a mansão do amor, mas ainda não a possuí e, embora esteja eu vendida, ainda não fui apreciada. Tão tedioso está este dia, como a noite que antecede uma grande festa para a criança inquieta que tem vestidos novos e não pode usá-los. Oh! Está chegando minha ama que me traz notícias! Qualquer língua que pronuncie apenas o nome de Romeu, fala com a eloqüência celeste! (*Entra a ama trazendo cordas.*) Que há ama? Quais são as notícias? Que trazes aí? As cordas que Romeu te encomendou?

AMA - Sim, sim, as cordas. (*Atira-as no chão.*)

JULIETA - Ai de mim! Que aconteceu? Por que torces tuas mãos?

AMA - Ah! Que dia agourento! Está morto, está morto, está morto! Estamos perdidas, senhora, estamos perdidas! Ai, que dia! Não existe mais, mataram-no, está morto!

JULIETA - Pode o céu ser tão tirano?

AMA - Romeu pode, embora o céu não o possa. Ó Romeu, Romeu! Quem jamais o teria pensado? Romeu!

JULIETA - Que demônio és tu que me atormentas assim? Tortura igual só deveria ser expressa com rugidos do espantoso inferno! Romeu se matou? Dize simplesmente "sim" e esta única sílaba "sim" terá mais veneno do que o olho do mortífero basilisco. Não sou mais a mesma, se existir tal "sim", ou se estão cerrados os olhos que te fazem responder "sim". Se estiver morto, dize "sim" e se for o contrário, "não". Esses breves sons decidirão minha ventura ou minha desgraça!

AMA - Eu vi a ferida! Eu a vi com meus olhos!... Deus o tenha em sua misericórdia!... Aqui, em seu peito varonil! Um cadáver, um infeliz cadáver ensangüentado, pálido, descorado como as cinzas, todo coberto de sangue, todo ele de sangue coagulado! Desmaiei, só de vê-lo!

JULIETA - Oh! Destroça-te, meu coração! Pobre falido, despedaça-te de uma vez! Para a prisão, olhos! Nunca penseis em liberdade! Mísera terra, sujeita-te à terra, pára teu movimento, que tu e Romeu encerrados sejais em um mesmo ataúde!

AMA - O Teobaldo, Teobaldo, o melhor amigo que eu tinha! Ó cortês Teobaldo! Leal cavalheiro! Deveria viver para ver-te morto um dia?

JULIETA - Que tempestade é esta que sopra em sentido contrário? Romeu foi assassinado e Teobaldo morto? Meu amado primo e meu caríssimo senhor? Então, trombeta mortal, pronuncia o Juízo Final! Quem está vivo, se esses dois não mais existem?

AMA - Teobaldo não mais existe e Romeu foi banido! Romeu, que o matou, foi desterrado!

JULIETA - Oh! Deus! A mão de Romeu derramou o sangue de Teobaldo?

AMA - Assim aconteceu! Ai que dia! Assim aconteceu!

JULIETA - Oh! Coração de serpente, oculto debaixo de um semblante de flores! Jamais um dragão guardou tão belo antro! Belo tirano! Angélico demônio! Corvo ornado com penas de pomba! Cordeiro com entranhas de lobo! Desprezível substância da mais celestial aparência! Exatamente oposto ao que exatamente te assemelhas, santo maldito, honrado malfeitor! Oh! Natureza! Que tinhas a fazer no fundo do inferno quando hospedaste a alma de um demônio no paraíso mortal de corpo tão belo? Qual foi o livro que algum dia conteve matéria de tal modo vil, tão ricamente encadernado? Semelhante mentira pode habitar um palácio tão maravilhoso?

AMA - Não há firmeza, não há fé, não há honradez nos homens! Todos são perjuros, fingidos, iníquos, hipócritas! Ah! Onde está meu escudeiro? Dá-me um pouco de *aqua vitae*. Estes desgostos, dores e pesares me fazem envelhecer. Que a vergonha caia sobre Romeu!

JULIETA - Que tua língua fique empolada por um tal anseio! Ele não nasceu para a vergonha e a vergonha se envergonha de assentar-se em sua fronte porque é um trono onde a honra pode ser coroada como único monarca da terra universal. Oh! Como fui cruel ao criticá-lo!

AMA - Quereis falar de quem matou vosso primo?

JULIETA - Devo falar mal de quem é meu esposo? Ah! Pobre senhor meu! Que língua exaltará teu nome, quando eu, há três horas tua esposa, injuriei-o? Mas, também, por que, infame, mataste meu primo? Esse infame primo poderia ter assassinado meu esposo. Para trás, lágrimas insensatas! Voltai para vossa fonte primitiva. Essas pérolas, tributo pertencente à dor, são por vós consagradas erroneamente ao regozijo. Meu esposo está vivo, contra cuja vida quis atentar Teobaldo, e Teobaldo está morto, que pretendia matar meu esposo. Tudo isto é consolo. Para que chorar então? Mas existe uma palavra pior do que a morte de meu primo, que me assassinou. Quisera esquecê-la com prazer; mas ela oprime minha memória como os horrendos crimes a consciência dos delinqüentes! "Teobaldo está morto e Romeu desterrado." Este "desterrado", apenas a palavra "desterrado", matou dez mil Teobaldos. A morte de Teobaldo era desgraça bastante, se aí parasse; ou, se a desgraça amarga se regozija com a amizade e faz absoluta questão de estar rodeada por outras desgraças, por que, quando diz "Teobaldo morreu" não o acompanham de "teu pai" ou "tua mãe", ou até de "ambos", o que me teria causado uma angústia natural? Mas fazer acompanhar a morte de Teobaldo dessa retaguarda: "Romeu foi desterrado", pronunciar-me essa palavra, é o mesmo que dizer: "Meu pai, minha mãe, Teobaldo, Romeu, Julieta, todos assassinados, todos mortos!...". "Romeu foi desterrado". Não há fim, não há fim, não há medida, não há termo na morte que tragam em si estas palavras! Não há acentos que expressem a intensidade desta dor!... Onde estão meu pai e minha mãe, ama?

AMA - Chorando e gemendo junto do cadáver de Teobaldo. Quereis encontrar-vos com eles? Eu vos acompanharei até lá.

JULIETA - Que eles lavem as feridas dele com lágrimas; as minhas serão consumidas pelo banimento de Romeu, quando as deles estiverem secas... Apanha estas cordas!... Pobre escada! Tu e eu fomos enganadas, pois Romeu foi exilado. Ele te fez para que servisses de caminho para meu leito; mas, virgem, morro em viuvez virginal. Vinde, cordas, venha, ama; irei para meu tálamo nupcial e que a morte, e não Romeu, receba minha virgindade!

AMA - Correi para vosso quarto. Vou atrás de Romeu para que vos conforte. Bem sei onde está! Escutai! Romeu estará aqui esta noite! Vou procurá-lo. Está escondido na cela de Frei Lourenço.

JULIETA - Oh! Encontra-o! Entrega este anel ao meu fiel cavalheiro e roga-lhe que venha dar-me seu derradeiro adeus. (*Saem.*)

CENA III

Cela de Frei Lourenço.

Entra Frei Lourenço.

FREI LOURENÇO - Romeu, aparece; aparece, homem medroso! A desgraça se apaixonou por tuas dádivas e estás casado com a calamidade! (*Entra Romeu.*)

ROMEU - Padre, quais são as notícias? Qual é a sentença do príncipe? Que nova dor, ainda não conhecida, procura tocar minha mão?

FREI LOURENÇO - Bastante familiarizado está o meu estimado filho com tão triste companhia! Trago-te notícias da sentença do príncipe!

ROMEU - Pode ser menos do que sentença de morte a sentença do príncipe?

FREI LOURENÇO - Uma sentença mais branda saiu de seus lábios. Não a morte do corpo, mas o banimento do corpo.

ROMEU - Ah! Banimento! Tende compaixão! Dizei que condenou à morte, porque, na verdade, o exílio é mais aterrador, muito mais do que a morte! Não digais "banimento"!

FREI LOURENÇO - Foste desterrado de Verona. Tende paciência, pois o mundo é vasto e espaçoso.

ROMEU - Não existe mundo fora dos muros de Verona, além de purgatório, tortura, o próprio inferno! Banido daqui é ser banido do mundo e o exílio ao mundo é a morte! Portanto, "banimento" é a morte sob um falso nome! Chamando a morte de "banimento" cortais minha cabeça com um machado de ouro e sorris do golpe que me assassina.

FREI LOURENÇO - Oh! Pecado mortal! Oh! Negra ingratidão! Segundo nossas leis, deverias morrer. Mas o bondoso príncipe, interessando-se por ti e torcendo a lei, troca em desterro essa negra palavra "morte" e tu não agradeces o imenso favor.

ROMEU - É suplício e não favor! O céu está onde Julieta viver; e qualquer gato, cão e camundongo, qualquer coisa por indigna que seja, aqui vive no céu e pode contemplá-la. Só Romeu não poderá! Mais felizes do que Romeu, mais honrosa situação, maior cortesania alcançam as moscas que vivem na podridão! Elas podem pousar no branco prodígio da mão de minha amada Julieta e roubar a dita mortal de seus lábios, constantemente ruborizados pelo puro e virginal pudor, como se tivessem por pecado seus recíprocos beijos! Mas Romeu não pode a tanto chegar! Está banido! As moscas podem fazê-lo; mas ele está proibido, porque elas são livres, mas eu estou desterrado!... E ainda dizeis que o exílio não é a morte? Não tendes um ativo veneno, um agudo punhal, um rápido meio de morte, qualquer que fosse, mas somente "banimento" para me matar?... Banido!... Ó frade, os condenados proferem essa palavra no inferno, acompanhando-a com alaridos! Como tendes coração, sendo um sacerdote, um santo, confessor, revestido do poder de perdoar os pecados e amigo íntimo, para inutilizar-me com essa palavra "banimento"?

FREI LOURENÇO - Tu, homem sem razão, escuta uma palavra.

ROMEU - Oh! Ides falar novamente de banimento.

FREI LOURENÇO - Eu te darei uma armadura para resistir a tal palavra; o doce leite da adversidade, a filosofia. Ela te consolará, embora estejas banido.

ROMEU - Ainda "banido"? Enforcai vossa filosofia! A não ser que a filosofia possa criar uma Julieta, transportar uma cidade ou derrubar a sentença de um príncipe, para nada presta, nada vale. Não me faleis mais.

FREI LOURENÇO - Oh! Vejo bem agora que os loucos não têm ouvidos.

ROMEU - Como deveriam tê-los se os cordatos não possuem olhos?

FREI LOURENÇO - Deixa-me aconselhar-te sobre teu estado.

ROMEU - Vós não podeis falar do que não sentis! Se fôsseis jovem como eu e Julieta, vosso amor; se há uma hora estivésseis casado e tivésseis matado Teobaldo; se como eu, desanimásseis com delírio e se, como eu, estivésseis banido, então poderíeis falar, então poderíeis arrancar vossos cabelos e cair no chão, como faço agora, tomando a medida antecipadamente de minha tumba! (*Batem no interior.*)

FREI LOURENÇO - Levanta-te! Estão batendo! Bom Romeu, esconde-te!

ROMEU - Não, a não ser que o alento de meus dolorosos suspiros me esconda como uma névoa dos olhos perscrutadores. (*Batem.*)

FREI LOURENÇO - Escuta como batem! Quem está aí? Romeu, levanta-te, poderás ser preso! ... Esperai um momento!... Levanta-te! (*Batem.*) Corre para meu quarto!... Já vou!... Poder de Deus! Que loucura é esta?... Já vou, já vou! (*Batem.*) Quem está batendo tão forte? De onde vindes? Que desejais?

AMA - *(Dentro.)* Deixai-me entrar e ficareis sabendo minha mensagem. Venho da parte da Senhora Julieta.

FREI LOURENÇO - Bem-vinda, então! (*Entra a ama.*)

AMA - Ó Santo frade! Oh! Dizei-me, santo frade: onde está o esposo de minha senhora? Onde está Romeu?

FREI LOURENÇO - Ali no chão, ébrio com as próprias lágrimas.

AMA - Oh! Está no mesmo estado de minha senhora! Exatamente igual!

FREI LOURENÇO - Oh! Dolorosa semelhança! Lastimosa situação!

AMA - Assim ela jaz: chorando e gemendo, gemendo e chorando. Levantai-vos, levantai-vos; de pé se sois homem! Pelo amor de Julieta, pelo amor dela, levantai-vos e ficai de pé! Por que cair tão profundo?

ROMEU - Ama!...

AMA - Ah! Senhor! Ah! Senhor! Então, a morte é o fim de tudo?

ROMEU - Falas de Julieta? Como está? Não acredita que seja um consumado assassino que acaba de manchar com sangue de sua família a infância de nossa ventura? Onde está ela? Como se acha? E o que pronuncia minha oculta esposa sobre nosso amor aniquilado?

AMA - Oh! Nada diz, senhor, mas chora e chora. E às vezes ela se atira ao leito, imediatamente se levantando sobressaltada e chama Teobaldo, em seguida, grita por Romeu e, por fim, cai novamente.

ROMEU - Dir-se-ia que esse nome, disparado por arma fatal, matou-a como a mão maldita que usa tal nome matou-lhe o primo! Oh! Dizei-me, irmão, dizei-me! Em que vil parte desta anatomia se encontra meu nome? Dizei-me para que eu possa saquear a odiosa mansão! (*Puxa a espada.*)

FREI LOURENÇO - Detém tua desesperada mão! És um homem? Tua forma apregoa que és; mas tuas lágrimas são de mulher e teus atos frenéticos denotam a fúria sem reflexão de uma fera. Mulher deformada em forma de homem ou mal formada fera em forma de homem e de mulher. Pasmo me deixas! Por minha Santa Ordem, acreditava-te com disposições mais brandas. Mataste Teobaldo? E desejas matar-te a ti mesmo? E matar tua esposa que vive de tua vida, praticando essa ação danada contra ti mesmo? Por que injurias teu nascimento, o céu e a terra, uma vez que teu nascimento, o céu, a terra estão em ti e queres perdê-los ao mesmo tempo? Cuidado, cuidado! Estás tornando vil tua figura, teu amor e tua razão, e, semelhante ao usurário, tudo tens em abundância e nada usas segundo o verdadeiro uso, o que daria realce a tua figura, a teu amor e a tua razão. Tua nobre figura é apenas uma imagem de cera desprovida de pujança heróica. Teus votos de terno amor, apenas falsas palavras que matam aquele amor que juraste guardar em teu peito. Tua razão, esse ornamento de tua figura e de teu amor, desviada do governo de uma e de outro, como a pólvora no polvarinho do soldado inábil, inflama-se graças à sua própria ignorância e mutila com seu próprio meio de defesa. Vamos, anima-te homem! Tua Julieta, por cujo ardente amor morrias há pouco, está viva; nisto és um homem feliz. Teobaldo queria matar-te, mas tu mataste Teobaldo; nisto és também feliz. A lei, que ameaçava morte, torna-se tua amiga, atenuando a pena em exílio; nisto és igualmente feliz. Sobre teus ombros pesa um fardo de bênçãos. A felicidade te corteja, vestindo seus melhores adornos. E tu, entretanto, como moça obstinada e mal comportada, tu te enfadas com tua fortuna e com teu amor. Cuidado! Cuidado! Aqueles que assim fazem morrem miseráveis!... Vai procurar teu amor como estava decidido; sobe ao seu quarto e dá-lhe consolação. Mas procura não ficar até a hora em que põem a guarda, pois, então, não podereis partir para Mântua, onde permanecerás até que encontremos uma ocasião propícia para tornar público vosso matrimônio, reconciliar vossas famílias, conseguir o perdão do príncipe e chamar-te para que voltes com vinte mil vezes mais alegria do que gemidos que soltas ao partires. Vai na frente ama e recomenda-me à tua dama e dize-lhe que apresse toda a casa para que vá para a cama, ao que se mostrarão todos propícios por causa da intensa dor que sentem. Romeu irá imediatamente.

AMA - Oh! Senhor! Poderia ter passado aqui toda a noite para ouvir tão bons conselhos! Oh! O que é o saber! Senhor, direi à minha senhora que vireis.

ROMEU - Sim e não te esqueças de dizer a meu amor que se prepare para ralhar-me.

AMA - Aqui está, senhor, um anel que ela me pediu que vos desse. Não percais tempo, apressai-vos, pois está ficando tarde. (*Sai.*)

ROMEU - Como isto conforta meu espírito!

FREI LOURENÇO - Vai logo e boa noite! Disto depende toda a tua vida: ou partes antes que a guarda seja estabelecida, ou partes disfarçado ao despontar do dia. Fica em Mântua. Procurarei teu criado e ele te levará com freqüência notícias de tudo quanto suceder de seu interesse. Dá-me tua mão; está ficando tarde. Adeus! Boa noite!

ROMEU - Se uma alegria suprema a toda alegria não me chamasse para outro lugar, seria uma grande dor separar-me tão depressa de vosso lado. Adeus! (*Saem.*)

CENA IV

Sala na casa de Capuleto.
Entram Capuleto, a senhora Capuleto e Páris.

CAPULETO - Ocorreram coisas tão lamentáveis, rapaz, que não tivemos tempo de convencer nossa filha. Considera que possuía grande afeto pelo primo Teobaldo, da mesma maneira que eu. Bem, todos nascemos para morrer. É muito tarde. Ela não descerá esta noite. Posso assegurar-te que, não fosse tua companhia, já estaria eu na cama há uma hora.

PÁRIS - Estes tempos dolorosos não são próprios para galanteios. Senhora, boa noite. Recomendai-me à vossa filha.

SENHORA CAPULETO - Darei o vosso recado. Amanhã cedo saber-lhe-ei a maneira de pensar. Esta noite, está enclausurada na própria tristeza.

CAPULETO - Conde Páris, atrevo-me a responder-te pelo amor de minha filha. Creio que em tudo se deixará governar por mim. Bem mais, não tenho dúvida. Minha mulher, ide vê-la antes de deitar-vos. Dai-lhe notícia do amor de meu filho Páris e fazei-a saber, notai bem, que na próxima quarta-feira... Mas, esperai! Que dia é hoje?

PÁRIS - Segunda-feira, senhor.

CAPULETO - Segunda-feira! Ah, ah! Bem, quarta-feira é cedo demais; digamos que seja na quinta-feira. Dizei-lhe que na quinta-feira casar-se-á com este nobre conde. Estarás decidido? Estás contente com esta pressa? Não faremos grande pompa. Um amigo ou dois; pois, compreende, estando tão recente a morte de Teobaldo, poderiam pensar que não lhe manifestamos muita importância, sendo nosso parente, se fizermos festas demais. De modo que convidaremos meia dúzia de amigos e será tudo. Mas, que me dizes de quinta-feira?

PÁRIS - Senhor, desejaria que quinta-feira já fosse amanhã.

CAPULETO - Bem, podes retirar-te. Será então na quinta-feira. Ide ver Julieta antes de vos deitardes, esposa, e preparai-a para o dia do casamento. Adeus, senhor! Luz no meu aposento! Por minha vida, já é tão tarde que daqui a pouco poderemos dizer que é cedo. Boa noite! (*Saem.*)

CENA V

Jardim dos Capuletos.

Entram Romeu e Julieta, em cima, na janela.

JULIETA - Queres ir embora?... O dia ainda não está próximo... Era do rouxinol e não da cotovia o canto que feriu o fundo receoso de teu ouvido... Todas as noites canta naquela romãzeira. Acredita, meu amor, era o rouxinol.

ROMEU - Era a cotovia, mensageira da aurora, e não o rouxinol!... Olha, meu amor, que raios invejosos de luz separam as nuvens no Oriente longínquo... Os círios da noite já se queimaram e o jovial dia está, de pontas de pés, no brumoso cimo das montanhas... Preciso partir e viver, ou ficar e morrer.

JULIETA - Aquela claridade longínqua não é a luz do dia, eu sei... É algum meteoro que o sol emana para que seja o portador da tocha nesta noite e te ilumine no teu caminho para Mântua. Fica, portanto!... Não tens necessidade de partir.

ROMEU - Que me prendam!... Que me condenem à morte. Se tu quiseres, estou decidido! Direi que o cinzento distante não é o olho da manhã, mas o pálido reflexo da fronte de Cíntia [31] e que não são tampouco da cotovia essas notas vibrantes que rompem a abóbada celeste tão alto sobre nossas cabeças. Meu desejo de ficar vence minha vontade de partir!... Vem, morte e sê bem-vinda! Julieta assim o deseja. Que há, minha alma? Falemos; ainda não é dia!

JULIETA - É sim, é sim! Foge daqui, vai-te, anda! É a cotovia que canta desafinada, expelindo ásperas dissonâncias e desagradáveis sons agudos! E dizem que a cotovia produz ao cantar uma doce harmonia! [32] Como, se ela nos separa! E dizem que a cotovia e o imundo sapo trocam os olhos!... Oh! Quisera que agora tivessem também trocado a voz! Porque essa voz nos enche de temor e te arranca de meus braços, afugentando-te daqui com seu canto de alvorada! Oh! Parte agora! Está ficando mais claro, cada vez mais translúcido!

ROMEU - Mais claro, sempre mais claro! Mais negro, sempre mais negro, nosso infortúnio! *(Entra a ama no aposento.)*

AMA - Senhora!

JULIETA - Ama?

AMA - A senhora vossa mãe está vindo para cá. Já despontou o dia! Sede prudente, atenção! (*Sai.*)

JULIETA - Então, janela, deixa entrar o dia, deixa sair a vida!

ROMEU— Adeus, adeus! Um beijo e descerei. (*Desce.*)

JULIETA - Partes assim? Meu senhor, meu amor, meu amigo! Necessito saber notícias tuas a todo dia e toda hora!... Porque em um minuto há muitos dias! Oh! Segundo esta conta, terei envelhecido antes que torne a ver meu Romeu!

---

[31] Cíntia, ou seja, a Lua, um dos nomes de Diana.

[32] Na verdade, Shakespeare se refere ao *tremolo* da cotovia.

ROMEU - Adeus! Não perderei uma oportunidade para enviar-te minhas lembranças, meu amor!

JULIETA - Oh! Pensas que ainda nos veremos novamente?

ROMEU - Não tenho dúvidas! E todas estas dores servirão de motivo para doces conversas nos tempos vindouros.

JULIETA - Ó Deus! Que negros pressentimentos tem minha alma!... Parece-me ver-te agora, que estás embaixo, como um cadáver no fundo de uma sepultura! Ou minha visão me engana, ou tu estás muito pálido!

ROMEU - Amor, acredita-me, tu estás também pálida aos meus olhos. A dor sedenta bebe nosso sangue!... Adeus! Adeus! (*Sai.*)

JULIETA - Oh! Fortuna, Fortuna! Todos os homens te chamam de inconstante. Se tu és inconstante, que tens a ver com ele, célebre por sua fidelidade? Sê inconstante Fortuna, porque então, segundo espero, não o reterás muito tempo, mas o restituirás em breve a meus braços.

SENHORA CAPULETO - (*Dentro.*) Minha filha, já estás levantada?

JULIETA - Quem está me chamando? É minha mãe? Tão tarde e ainda não se deitou ou tão cedo e já se levantou? Que motivo inusitado a traz aqui? (*Entra a senhora Capuleto.*)

SENHORA CAPULETO - Então, que há, Julieta?

JULIETA - Senhora, não estou passando bem.

SENHORA CAPULETO - Sempre vertendo lágrimas a morte de teu primo? Como! Pretendes tirá-lo do túmulo com tuas lágrimas? Mesmo que o conseguisses, não poderias dar-lhe a vida. Logo, cessa de chorar. Um sentimento moderado revela amor profundo, enquanto que, excessivo, indica insensatez.

JULIETA - Entretanto, deixai-me chorar uma perda tão sensível.

SENHORA CAPULETO - Assim, sentirás a perda, mas não o amigo por quem choras.

JULIETA - Sentindo-lhe assim a perda, não posso contudo deixar de chorar sempre o amigo.

SENHORA CAPULETO - Estou-te compreendendo, minha filha: choras não só a morte dele, como porque ainda está vivo o indígno que o assassinou.

JULIETA - Que indígno, senhora?

SENHORA CAPULETO - Esse infame Romeu.

JULIETA - (*À parte.*) Entre um infame e ele há muitas milhas de distância!... Deus o perdoe, como eu o perdôo de todo o meu coração! Contudo, nenhum homem me aflige tanto quanto ele!

SENHORA CAPULETO - Isso é porque vive o traidor assassino.

JULIETA - Sim, senhora. Porque vive longe do alcance destas minhas mãos! Quisera que só eu vingasse a morte de meu primo!

SENHORA CAPULETO - Teremos nossa vingança, não tenhas medo! Não chores mais. Vou mandar alguém a Mântua, onde vive esse desterrado vagabundo, para dar-lhe tão estranha bebida que breve fará companhia a Teobaldo e, então, julgo que ficarás satisfeita.

JULIETA - Verdadeiramente, jamais ficarei satisfeita com Romeu até que não o veja... morto! Meu pobre coração está tão torturado pelo falecimento de um parente... Senhora, se pudésseis encontrar um homem que levasse o veneno, eu o prepararia, de maneira que Romeu, tendo-o recebido, dormiria depressa em paz! Oh! Como meu coração sofre ouvindo nomeá-lo e não poder dirigir-me para onde está a fim de fazer sentir o amor que tinha por Teobaldo no corpo daquele que lhe arrebatou a vida!

SENHORA CAPULETO - Procura os meios e eu procurarei alguém. Mas, agora, minha filha, tenho alegres notícias para dar-te.

JULIETA - E chega a propósito a alegria em ocasião que tão necessitada está! Quais são elas? Dizei, por favor.

SENHORA CAPULETO - Bem, bem, tens um pai previdente, minha filha, que encontrou para arrancar-te de tua tristeza um imprevisto dia de felicidade que nem tu aguardavas, nem eu previa.

JULIETA - Senhora, muito me alegro. Que dia é esse?

SENHORA CAPULETO - Palavra de honra, minha filha, cedo, na próxima quinta-feira pela manhã, o galante, jovem e nobre gentil-homem, Conde de Páris, na Igreja de São Pedro, terá a ventura de fazer de ti uma feliz esposa.

JULIETA - Então, pela Igreja de São Pedro e também por São Pedro, lá ele não fará de mim uma feliz esposa! Estou surpresa com esta pressa e que haja de casar-me com quem nem sequer me fez a corte. Senhora, eu vos suplico que digais a meu senhor e pai que não quero casar-me ainda e que, se o fizer, será com Romeu, juro-vos, a quem sabeis que odeio, mas nunca com Páris. Estas eram as notícias?...

SENHORA CAPULETO - Está chegando teu pai. Dize-lhe pessoalmente e verás como aceita a coisa vinda de ti. (*Entram Capuleto e a ama.*)

CAPULETO - Quando o sol se põe, o ar fica coberto de orvalho; mas, no ocaso do filho de meu irmão, chove de verdade. Que é isto? És uma goteira, minha filha? Constantemente em lágrimas e chorando torrentes? Em teu pequeno corpo, pareces um barco, um oceano e um vento; porque teus olhos, que bem posso chamar de oceano, fazem com as lágrimas o fluxo e o refluxo. O barco é teu corpo, que voga neste salgado pélago; os ventos, teus suspiros, que em combate furioso com teu pranto e este com eles, se não houver uma calmaria, farão soçobrar teu corpo, partido pela tempestade. Então, minha mulher, vós já lhe comunicastes nossa determinação?

SENHORA CAPULETO - Sim, senhor, mas não quer e vos agradece. Queria que esta tola casasse com o túmulo!

CAPULETO - Devagar! Repeti-me, repeti-me, minha esposa! Como! Ela não quer? Ela não nos agradece? Não está orgulhosa? Não se considera abençoada, indigna como é, quando nós lhe arranjamos um gentil-homem tão digno para servir-lhe de esposo?

JULIETA - Orgulhosa, não; ao contrário, estou muito agradecida. Nunca pude ficar orgulhosa com aquilo que odeio; mas sou reconhecida, até pelo que odeio, quando se tem o amor como intenção.

CAPULETO - Como, como? Como, como? Que lógica alinhavada é esta? Que queres dizer? "Orgulhosa" e "agradeço" e "não agradeço" e, contudo, "orgulhosa, não"? O que ides fazer, senhora atrevida, é deixar-vos desses agradecimentos e brios, preparando vossas finas pernas para a próxima quinta-feira, quando acompanhareis Páris à igreja de São Pedro ou, do contrário, levar-vos-ei até lá arrastada em uma carreta! Fora de minha presença, esqueleto doentio! Fora daqui, libertina! Cara sebenta!

SENHORA CAPULETO - Calai! Ficastes doido?

JULIETA - Bondoso pai, eu vos suplico de joelhos! Escutai-me com paciência uma palavra.

CAPULETO - Enforca-te, jovem libertina! Criatura desobediente! Ouve o que te digo: ou vais à igreja na quinta-feira ou jamais me olhes em face! Não fales! Não refutes!... Não me respondas!... Meus dedos ardem!... Esposa, pensávamos que não éramos bastante abençoados, já que Deus só nos havia enviado esta única filha, mas agora vejo que esta única é demais e que nós a tivemos para nossa maldição. Sai de minha vista, ordinária!

AMA - Deus a bendiga no céu! Fazeis mal, senhor, em repreendê-la desse modo.

CAPULETO - E por que, senhora intrometida? Prende tua língua, boa prudência! Vai fazer intrigas com tuas conhecidas!

AMA - Não falo por mal.

CAPULETO - Oh! Que Deus te dê boa tarde!

AMA - Não se pode mais falar?

CAPULETO - Silêncio, louca resmungadora! Essa eloqüência podes usá-la para teus semelhantes, pois aqui não temos necessidade dela.

SENHORA CAPULETO - Estais por demais apaixonado!

CAPULETO - Pela Hóstia Santa! Vou ficar louco! De dia, de noite, a todas as horas, em qualquer ocasião, a cada momento, trabalhando, divertindo-me, só, acompanhado, sempre foi meu sonho vê-la casada e agora que lhe havíamos conseguido um gentil-homem de família principesca, repleto de riqueza, jovem, educado com o maior requinte, e como dizem, recheado de belas qualidades, um homem, enfim, como alguém pudera querer, vem esta miserável e estúpida chorona, esta boneca gemedora, quando lhe sorri a fortuna, exclamar por toda resposta: "Não quero casar, não posso amar, sou jovem demais; rogo que me perdoeis". Então não te cases! Sim, eu te perdoarei! Vai viver aonde quiseres, pois em minha casa não colocarás mais os pés! Reflete e pensa bem, já sabes que não tenho hábito de fazer brincadeiras. Quinta-feira está perto; coloca a mão em teu coração e reflete. Se desejares ser minha filha obediente, eu te darei a meu amigo; se não o quiseres ser, enforcai-te mendiga, consome-te de fome e miséria, morre no meio da rua. Por minha alma, nunca te reconhecerei e nada que me pertence jamais te pertencerá. Acredita-me e pensa bem. Não voltarei atrás! (*Sai.*)

JULIETA - Não há clemência nos céus que enxergue até o fundo de minha dor?... Ó minha doce mãe! Não me abandoneis! Adiai esse casamento um mês, uma semana; ou se não puderdes, colocai meu leito nupcial nesse fúnebre monumento onde jaz Teobaldo.

SENHORA CAPULETO - Não me fales, pois não direi uma única palavra. Faze como quiseres porque tudo está terminado entre nós. (*Sai.*)

JULIETA - Oh! Deus!... Oh! Ama! Como poderá isso ser impedido? Meu esposo está na terra, minha fé, no céu. Como voltará novamente esta fé à terra, a não ser que meu esposo, partindo deste mundo, a envie do céu? Consola-me, aconselha-me. Ai, ai! O céu poderia empregar tais estratagemas contra uma criatura tão fraca quanto eu? Que dizes? Não tens nem uma palavra de alegria? Conforta-me ama.

AMA - Por minha fé, eis aqui! Romeu foi banido e apostaria o mundo inteiro contra nada como nunca ousará voltar para reclamar-vos e, se vier, precisará ser escondido. Estando, portanto, as coisas como estão, acredito que o mais conveniente é que vos caseis com o conde. É um encantador gentil-homem! Romeu perante dele é um rústico! Uma águia, senhora, não tem olhos tão verdes, tão vivos, tão belos como os de Páris! Maldito seja meu coração, creio que sereis feliz neste segundo matrimônio, visto que é melhor do que o primeiro; e, mesmo que não fosse, vosso primeiro esposo está morto, ou é o mesmo que se estivesse, pois não podeis tê-lo aqui vivo, não podendo dele servir-vos.

JULIETA - Falas do fundo de teu coração?

AMA - E do mais fundo de minha alma, também, ou então que ambos sejam amaldiçoados!

JULIETA - Amém!

AMA - Quê?

JULIETA - Sim, tu me consolaste admiravelmente. Entra e anuncie a minha mãe que, aflita por haver contrariado meu pai, vou confessar-me na cela de Frei Lourenço e receber sua absolvição.

AMA - Por minha fé, irei rápido; estais agindo muito acertadamente. (*Sai.*)

JULIETA - Velha maldita! Oh! Malignissimo demônio! É maior pecado incitar-me assim ao perjúrio, ou vituperar meu senhor com mesma língua que tantas milhares de vezes o louvou acima de qualquer comparação? Vai, conselheira, tu e meu coração daqui para diante estareis separados!... Irei ver o frade para pedir-lhe um remédio e, se tudo me abandonar, eu mesma terei o poder de morrer. (*Sai.*)

ATO QUARTO

CENA I

Cela de Frei Lourenço.
Entram Frei Lourenço e Páris.

FREI LOURENÇO - Quinta-feira, senhor? É muito pouco tempo.

PÁRIS - Tal é a vontade de meu pai Capuleto e nada existe em mim para moderar-lhe a pressa.

FREI LOURENÇO - Dizeis desconhecer os sentimentos da dama. O procedimento é irregular, não me agrada.

PÁRIS - Julieta chora sem cessar a morte de Teobaldo e esta é a razão pela qual pouco lhe falei de amor, pois Vênus não sorri em uma casa em lágrimas. Agora, senhor, o pai dela julga perigoso que dê tão grande importância à sua dor. E com sabedoria deseja apressar nosso casamento para cessar a inundação das lágrimas que, favorecida pela solidão, poderia ser recalcada pelos prazeres da sociedade. Sabeis agora a razão para tal pressa.

FREI LOURENÇO - *(À parte.)* Queria não saber porque será preciso que ele seja retardado. Vede, senhor, está chegando a dama que se dirige para minha cela. *(Entra Julieta.)*

PÁRIS - Feliz encontro, minha senhora e minha esposa!

JULIETA - Poderá ser, cavalheiro, quando for vossa esposa.

PÁRIS - Esse "poderá ser" há de ser, meu amor, na próxima quinta-feira.

JULIETA - O que deve ser, será.

FREI LOURENÇO - Verdade indiscutível.

PÁRIS - Vindes confessar-vos com este padre?

JULIETA - Para responder-vos eu teria que confessar-me convosco.

PÁRIS - Não lhe negueis que me amais.

JULIETA - Eu vos confessarei que o amo.

PÁRIS - Portanto, pois, estou certo de que lhe direis que me amais.

JULIETA - Se isso fizesse, minha confissão teria mais valia feita em vossa ausência do que em vossa presença.

PÁRIS - Pobre coitada, vossa face está bem injuriada pelas lágrimas.

JULIETA - Insignificante vitória conseguiram com isso as lágrimas, já que minha face já era bastante feia antes que me mortificassem.

PÁRIS - Mais injúrias lhe fazeis com vossas palavras do que com vosso pranto.

JULIETA - O que é verdade, senhor, não é calúnia. E o que digo, digo à minha face.

PÁRIS - Vossa face é minha e vós a caluniastes.

JULIETA - Pode ser, pois não é somente minha... Estais desocupado agora, santo padre, ou deverei retornar para a missa vespertina?[33]

FREI LOURENÇO - Tenho agora tempo disponível, minha triste filha... Cavalheiro, precisamos ficar a sós.

PÁRIS - Deus me livre de perturbar a devoção! Julieta, quinta-feira cedo irei despertar-vos! Adeus até então e guardai este santo beijo! *(Sai.)*

JULIETA - Oh! Fechai a porta e quando tiverdes feito isso, vinde chorar comigo! Não há esperança, não há remédio, não há socorro!

FREI LOURENÇO - Ah! Julieta! Já conheço tua dor que ultrapassa os limites de meu espírito. Soube que na próxima quinta-feira, e sem que nada possa retardá-lo, deves casar-te com esse conde.

JULIETA - Não me digais, frade, que ouvistes isto, a não ser que possais dizer como poderei evitá-lo! Se em vossa sabedoria não podeis auxiliar-me, aprovai ao menos minha determinação! E com este punhal, acabarei de imediato com minha alma! Deus uniu meu coração com o de Romeu, vós, nossas mãos; e antes que minha mão selada por vós à Romeu seja o selo de novo contrato, ou que meu verdadeiro coração por traição e revolta vá para um outro, isto acabará com um e outro. De modo que, dai-me logo um conselho nascido de vossa vasta experiência, ou, caso contrário, entre mim e

[33] Passagem muito comentada, pois, naquele tempo, estavam proibidas pelo Papa Pio V as missas depois do meio-dia, que só voltaram a ser ditas quatro séculos mais tarde, no período do Papa Pio XII.

o rigor de minhas dores decidirá a questão este punhal sangrento, resolvendo o que a autoridade de vossos anos e vosso saber não podem levar a honroso termo! Não demoreis em falar! Quero morrer se o que ides dizer não menciona o remédio!

FREI LOURENÇO - Pára, filha; vislumbro certa esperança que reclama uma execução igualmente desesperada, como desesperado é o que desejamos evitar. Se tens suficiente força de vontade para tirar-te a vida, a fim de não te casares com Páris, talvez te arriscasses a um simulacro de morte para evitar tal desonra, tu que combates a morte para dela escapar. Se te atreves, eu te darei um remédio.

JULIETA - Oh! De preferência a casar com Páris, mandai-me que me arroje do alto das ameias de longínqua torre, ou ande por caminhos infestados de ladrões, ou ordenai que me esconda onde haja serpentes, que me encadeeis com ursos vociferantes! Encerrai-me durante a noite em um ossuário, todo coberto pelos ossos dos mortos que se entrechocam com as tíbias podres e os crânios amarelos e descarnados! Enterrai-me em uma cova recém-cavada, ou fazei que eu seja amortalhada com um cadáver, coisas todas elas que, ouvindo-as, aterrorizavam-me e o farei sem temor nem vacilação alguma para viver esposa imaculada de meu doce amor!

FREI LORENÇO - Escuta, então. Volta para casa, mostra-te alegre e dá teu consentimento em casar com Páris. Amanhã é quarta-feira; procura ficar só, à noite, em teu quarto, não deixando que a ama durma contigo. Quando estiveres na cama, toma esse frasco e bebe até a última gota deste licor destilado. Imediatamente correrá por tuas veias um humor frio e letárgico porque nenhuma pulsação continuará seu curso, tudo parará. Nenhum calor, nenhum sopro, atestarão que existas. As rosas de teu lábio e de tuas faces murcharão até ficarem pálidas como cinzas. As janelas de teus olhos se fecharão, como quando os fecha a morte à luz da vida. Teus membros, privados de toda flexibilidade, mostrar-se-ão hirtos e rígidos como os de um cadáver. Tudo dará aparência de que estás morta. E assim permanecerás quarenta e duas horas, despertando depois como de um plácido sono. Na manhã do dia marcado para teu casamento, quando te forem levantar, encontrar-te-ão morta no teu leito. Então, como é de costume em nosso país, ataviada com teus melhores trajes em um ataúde aberto, conduzir-te-ão para a mesma antiga cripta onde repousa toda a família Capuleto. Nesse ínterim, antes que acordes, Romeu será informado por cartas minhas de nosso plano e voltará. Ele e eu velaremos juntos o teu despertar até que voltes à vida e, nessa mesma noite, Romeu te levará para Mântua. Assim, livrar-te-ás dessa iminente desonra, se algum capricho efêmero ou pavor feminino não abaterem tua coragem no momento decisivo.

JULIETA - Dai-me, dai-me! Não me faleis de pavor!

FREI LOURENÇO - Toma; agora parte. Sê forte e feliz em tua resolução. Vou agora mesmo enviar um frade a Mântua com cartas minhas para teu senhor.

JULIETA - Amor, dai-me força e a força me socorrerá! Adeus, querido padre! *(Saem.)*

CENA II

Salão na casa de Capuleto.

Entram Capuleto, a senhora Capuleto, a ama e dois servidores.

CAPULETO - Convida todas as pessoas aqui inscritas. (*Sai o primeiro servidor.*) E tu, vai arranjar-me vinte hábeis cozinheiros.

SEGUNDO SERVIDOR - Não haverá nenhum mau, senhor, pois terei o cuidado de averiguar se sabem lamber os dedos.

CAPULETO - Como poderás examiná-los?

SEGUNDO SERVIDOR - Por minha fé, senhor, mau cozinheiro é aquele que não sabe lamber os dedos; de maneira que, aquele que não souber lamber os dedos, não virá comigo.

CAPULETO - Está bem, vai. (*Sai o segundo servidor.*) Desta vez, vamos ser apanhados desprevenidos! Então, minha filha foi ver Frei Lourenço?

AMA - Sim, por certo.

CAPULETO - Bom, talvez possa ele fazer-lhe algum bem. Como é rebelde e voluntariosa a ordinária! (*Entra Julieta.*)

AMA - Vede, como ela retorna da confissão com um ar contente!

CAPULETO - Então, cabeçuda! Onde foste passear?

JULIETA - Onde me ensinaram a arrepender-me do pecado da desobediente oposição a vós e a vossas ordens; e me foi ordenado, pelo santo Frei Lourenço, que me prosternasse em vossos pés para pedir o vosso perdão. Perdoai-me, eu vos imploro! Doravante, eu me deixarei conduzir sempre por vós.

CAPULETO - Mandai buscar o conde, informai-o disto! Amanhã, pela manhã, terei atado este nó nupcial.

JULIETA - Encontrei o jovem senhor na cela de Frei Lourenço

e dei-lhe o que pode conceder o amor nos limites da modéstia.

CAPULETO - Muito bem! Estou encantado! Isso vai admiravelmente! Levanta-te! A coisa está indo como devia. Preciso ver o conde! Sim, por minha fé, ide buscá-lo e trazei-o aqui! Verdadeiramente, juro por Deus, que toda a nossa cidade está muito agradecida a esse reverendo e santo frade!

JULIETA - Ama, queres acompanhar-me à minha câmara para auxiliar-me a escolher os ornamentos que achares convenientes para enfeitar-me amanhã?

SENHORA CAPULETO - Antes de quinta-feira, não; temos tempo bastante.

CAPULETO - Vai, ama, vai com ela. Iremos à igreja amanhã. *(Saem Julieta e a ama.)*

SENHORA CAPULETO - Vamos ficar atrapalhados para acabar nossos preparativos. Já está anoitecendo.

CAPULETO - Não há nada! Trabalharei sem parar e tudo acabará bem. Garanto-vos, esposa. Ide procurar Julieta, ajudai-a a embelezar-se. Não repousarei esta noite. Deixai-me ficar só. Desta vez, farei o papel de dona-de-casa... Foram todos embora! Bem, irei eu mesmo à casa do Conde Páris para convidá-lo a vir amanhã. Meu coração está maravilhosamente leve assim que essa pequena caprichosa voltou à razão. *(Saem.)*

CENA III

Quarto de Julieta.

Entram Julieta e a ama.

JULIETA - Sim, esses atavios são os melhores; entretanto, querida ama, eu te rogo que me deixeis só esta noite, pois preciso orar muito para comover os céus a que me favoreçam em minha situação que é, como sabes muito bem, falsa e cheia de pecado. *(Entra senhora Capuleto.)*

SENHORA CAPULETO - Como! Estás muito atarefada? Precisas de meu auxílio?

JULIETA - Não, senhora, já escolhemos o necessário, o que convém para a cerimônia de amanhã. Assim, eu vos rogo que me deixeis só e que a ama passe esta noite perto de vós, pois estou certa de que tendes as mãos completamente ocupadas com esta tarefa tão súbita.

SENHORA CAPULETO - Boa noite; deita-te e descansa, pois tens necessidade. *(Saem senhora Capuleto e a ama.)*

JULIETA - Adeus! Só Deus sabe quando nos encontraremos de novo! Sinto um vago e frio temor que me causa estremecimento, ao correr por minhas veias, e quase gela o calor da vida. Vou chamá-las de volta para que me infundam valor... Ama!... Que faria ela aqui?... É uma cena terrível que devo encenar sozinha! Vem, frasco!... E se esta droga não produzir efeito algum? Teria de casar-me amanhã de manhã?... Não, não! Eis o que impedirá! Fica aí! *(Coloca perto dela um punhal.)* E se fosse um veneno com que o frade quisera dar-me astutamente a morte por temor à desonra que este matrimônio lhe causaria porque me uniu a Romeu? Receio que sim... Entretanto, creio que não deva ser, pois sempre deu provas de ser um santo homem. E se, quando for depositada na tumba, acordar antes do tempo marcado para que Romeu venha libertar-me? É uma idéia horrível! Não ficarei asfixiada, portanto, dentro da catacumba, por cuja espantosa boca jamais entra ar puro e lá morrerei sufocada, antes que Romeu chegue?... Ou, se viver, não é possível que o horrível pensamento da morte e da noite, junto com o terror do lugar, um sepulcro, um receptáculo antigo, onde por centenas de anos os ossos de todos os meus antepassados mortos foram enterrados; onde Teobaldo coberto de sangue, há pouco enterrado, jaz apodrecendo na mortalha; onde, segundo dizem, em certas horas da noite, reúnem-se os espíritos... Ai! Ai! Não será possível que, ao despertar cedo demais entre odores infectos e gritos, como os da mandrágora arrancada da terra, [34] não enlouqueça como todos os mortais que os escutam? Oh!... Se acordar, perco a razão cercada por todos esses tremendos horrores? E loucamente brincarei com os restos de meus antepassados? E arrancarei Teobaldo, desfigurado, da mortalha onde está? E dominada pela minha loucura, com os ossos de algum antepassado, servindo de bastão, quebrarei meu cérebro desesperado?... Oh! Vede! Parece que estou vendo o espectro de meu primo perseguindo Romeu, cujo corpo foi espetado pela ponta de uma espada!... Pára, Teobaldo, pára!... Já vou, Romeu! Bebo isto em tua intenção! *(Cai no leito, atrás das cortinas.)*

---

[34] A raiz da mandrágora tinha semelhança com a figura humana. Daí acreditar-se que, ao ser arrancada, soltaria gritos horríveis, capazes de enlouquecer quem os escutasse.

CENA IV

Salão na casa de Capuleto.
Entram a senhora Capuleto e a ama.

SENHORA CAPULETO - Ouve, ama, segura estas chaves e vai buscar-me mais especiarias.

AMA - Estão pedindo tâmaras e marmelos na pastelaria. *(Entra Capuleto.)*

CAPULETO - Vamos, despertai, despertai, despertai! O galo já cantou pela segunda vez e soou o toque de recolher.[35] São três horas. Tem cuidado com os pastéis, boa Angélica, e não poupes gastos!

AMA - Ide, ide, senhor intrometido! Ide para a cama! Estareis passando mal amanhã se não dormirdes!

CAPULETO - Não, não irei! Ora, quantas vezes, por razões menos importantes, não passei noites acordado e nunca fiquei doente?

SENHORA CAPULETO - Sim; fostes um caçador de camundongos em vosso tempo, mas hoje velo para preservar-vos de semelhantes vigílias! (*Saem a senhora Capuleto e a ama.*)

CAPULETO - Zelos, zelos! (*Entram três ou quatro servidores, com espetos, lenha e cestas.*) Então, rapaz, que trazes aí?

PRIMEIRO SERVIDOR - Coisas para o cozinheiro, senhor, mas não sei o que são.

CAPULETO - Anda depressa, anda depressa. (*Sai o primeiro servidor.*) E tu, vai buscar troncos, mais secos! Chama Pedro, que ele te dirá onde achá-los!

SEGUNDO SERVIDOR - Tenho uma cabeça, senhor, que saberá encontrar os troncos e não irei incomodar Pedro por esse motivo.

CAPULETO - Pela Santa Missa, dizes bem! Um gracioso filho da mãe, ah! Vão crescer-te troncos na cabeça! (*Sai o segundo servidor.*) Bom Deus, já é dia e não tardará a chegar o conde com a música, segundo prometeu! (*Música no interior.*) Está chegando! Ama! Mulher! Então? Então, ama, estou falando! (*Volta a ama.*) Vai acordar Julieta! Veste-a bem! Eu irei conversar com Páris. Vamos, depressa, que o noivo já está chegando! Anda depressa, estou dizendo! (*Saem.*)

---

[35] Sendo três horas da manhã é mais possível ser o toque de matinas.

CENA V

Quarto de Julieta.
Entra a ama.

AMA - Senhora! Vamos, senhora! Julieta! Está dormindo como um anjo! Vamos, meu cordeirinho! Senhora! Vamos, dorminhoca! Meu bem, acorda! Vamos senhora noiva! Nem uma palavra? Agora está aproveitando um pouco de sono. Dormi por uma semana seguida porque na noite que vem o Conde Páris não vos permitirá descansar muito... Ficai certa. Deus me perdoe! Santa Virgem e amém, como está ela adormecida! Mas, é preciso acordá-la! Senhora, senhora, senhora! Sim, e se permites que o conde vos apanhe na cama? Que susto não tereis! Não é verdade? (*Abre as cortinas.*) Como! Vestida? Nem se despiu! Deitou-se assim? Devo acordar-vos. Senhora! Senhora! Senhora! Ai, ai! Socorro, socorro! Minha senhora morreu! Oh! Em que dia infeliz — nasci eu! Um pouco de *aqua vitae*! Senhor! Senhora! (*Entra a senhora Capuleto.*)

SENHORA CAPULETO - Que barulho é esse?

AMA - Que dia lamentável!

SENHORA CAPULETO - Que aconteceu?

AMA - Olhai, olhai! Oh! Que dia aziago!

SENHORA CAPULETO - Ai de mim! Ai de mim! Minha filha, minha própria vida! Revive, abre os olhos ou morrerei contigo! Socorro, socorro! Pede socorro! *(Entra Capuleto.)*

CAPULETO - Que vergonha! Trazei Julieta! Já chegou seu esposo!

AMA - Está morta, defunta, morta! Ai que dia!

SENHORA CAPULETO - Ai que dia! Está morta, morta, morta!

CAPULETO - Deixai-me vê-la. Ai, morreu! Está fria. Está com o sangue parado e os membros rígidos! Há muito que a vida e estes lábios se separaram! A morte caiu sobre ela como gelo precoce sobre a mais linda flor de todo o campo!

AMA - Oh! Lamentável dia!

SENHORA CAPULETO - Oh! Calamitoso dia!

CAPULETO - A morte, que de mim a arrebatou para fazer-me gemer, ata minha língua e não me deixa falar. *(Entra Frei Lourenço e Páris com os músicos.)*

FREI LOURENÇO - Então, a noiva já está pronta para se dirigir à igreja?

CAPULETO - Pronta para ir, mas para nunca voltar! Ó meu

filho, na véspera de tuas bodas, a morte deitou-se com tua esposa! Vê, ali está ela, flor como era, foi por ela deflorada. A morte é meu genro, a morte é meu herdeiro; com ela casou minha filha! Quero morrer e tudo legar-lhe! Vida, bens, tudo para a Morte!

PÁRIS - Há tanto tempo esperava ver a face desta manhã e ela me apresenta similar espetáculo?

SENHORA CAPULETO - Maldito, infortunado, infeliz, odioso dia! A hora mais miserável que jamais vi no permanente labor de sua peregrinação! Uma só, uma pobre, uma só e amada filha, único motivo para alegrar-me e consolar-me, e a morte cruel a arrebatou de minha vista!

AMA - Oh! Horror! Oh! Horrível, horrível, horrível dia! O dia mais lamentável, mais doloroso que jamais presenciei! Oh! Dia! Oh! Dia! Oh! Dia! Oh! Odioso dia! Nunca houve um dia tão negro quanto este! Deplorável dia! Deplorável dia!

PÁRIS - Enganado, divorciado, ultrajado, injuriado, assassinado! Oh! Morte, mil vezes detestável! Logrado por ti! Cruel! Cruel! Por ti aniquilado!... Oh! Amor! Oh! Vida! A vida não, mas o amor na morte!

CAPULETO - Desprezado, desolado, odiado, martirizado, morto! Tremendo instante! Por que vieste agora assassinar, matar nossa solenidade? Minha filha! Minha filha! Minha alma e não minha filha! Morta estás! Ai, minha filha está morta e com minha filha estão enterradas todas as minhas alegrias!

FREI LOURENÇO - Silêncio, por favor! Que vergonha! O remédio para a dor não está nessas dores. O céu e vós tínheis parte nessa bela donzela. Agora, o céu tudo possui e assim será melhor para a donzela. A parte dela que vos pertencia, não pudestes preservar da morte, mas o céu guarda sua parte para a vida eterna. Vossa ânsia era que ela subisse, pois teria constituído vossa glória poder vê-la enaltecida. E agora chorais, vendo-a glorificada sobre as nuvens, tão alta quanto o próprio céu? Oh! Neste amor, amais tão mal vossa filha que enlouqueceis, vendo-a tão ditosa. A melhor esposa não é aquela que vive muito tempo casada, mas a esposa que morre ainda jovem. Secai vossas lágrimas e depositai vosso rosmaninho nesse belo cadáver; e, como é de hábito, conduzi-o para a igreja, adornado com seus melhores atavios; pois, embora a terna natureza ordene que nos lamentemos, as lágrimas da natureza são escárnios da razão.

CAPULETO - Tudo aquilo que destinávamos para a festa,

desviado do fim para que foi determinado, servirá para o negro funeral. Nossos instrumentos tornar-se-ão sinos melancólicos; nossa festa de bodas, lutuoso banquete funerário; nossos epitalâmios, cantos fúnebres; nossas flores nupciais servirão para cobrir o corpo amortalhado e tudo será mudado para seus contrários!

FREI LOURENÇO - Senhor, retirai-vos e vós, senhora, ide com ele, bem como vós, Senhor Páris. Que cada um de vós se prepare para acompanhar este belo corpo até o sepulcro. Os céus se mostram de mau humor por alguma ofensa; não os irriteis mais, contrariando seus altos desígnios. (*Saem Capuleto, a senhora Capuleto, Páris e o frade.*)

PRIMEIRO MÚSICO - Palavra de honra, podemos guardar nossas flautas e irmos embora.

AMA - Ah! Sim, sim! Guardai-as, meus bons rapazes, pois estais bem vendo, é um caso muito triste. (*Sai.*)

PRIMEIRO MÚSICO - Sim, é verdade, o caso não admite remédio. (*Entra Pedro.*)

PEDRO - Músicos! Ó músicos! "A paz do coração", "A paz do coração". Se quiserdes que eu continue vivo, tocai-me "A paz do coração"!

PRIMEIRO MÚSICO - Por que "A paz do coração"?

PEDRO - Ó músicos! Porque meu próprio coração toca "Meu coração está cheio de dor". Tocai-me alguma alegre lamentação para consolar-me!

PRIMEIRO MÚSICO - Nada de lamentações! Agora não é hora de tocar!

PEDRO - Então, não quereis?

PRIMEIRO MÚSICO - Não.

PEDRO - Pois, então, irei eu cantá-la e muito bem.

PRIMEIRO MÚSICO - Que nos dareis?

PEDRO - Não será dinheiro, sem dúvida, mas a diversão. Eu vos darei o menestrel!

PRIMEIRO MÚSICO - Então, eu vos darei a entrada.

PEDRO - Com minha adaga que servirá de batuta! Ah! Minhas colcheias! ... Esperai só para ver!

PRIMEIRO MÚSICO - Se nos levais o compasso com a adaga, sereis vós quem dará conta de nós.

SEGUNDO MÚSICO - Por favor, guardai vossa adaga e soltai um pouco vosso espírito.

PEDRO - Então tende cuidado com meu espírito! Vou atacarvos com um espírito de aço mais agudo do que minha adaga. Respondei-me como homens:

Quando o pesar pungente o coração nos fere
triste depressão a mente nos oprime
A música, então, com seu som argentino...

Por que "som argentino"? Por que "a música com seu som argentino"? Que dizeis, Simão Bordão?

PRIMEIRO MÚSICO - Ora, claro senhor, porque a prata tem um doce som.

PEDRO - Muito bonito! Que dizeis, Hugo Rebeca?

SEGUNDO MÚSICO - "Som argentino" porque os músicos tocam pela prata.

PEDRO - Melhor ainda! Que dizeis, João Cravelha?

TERCEIRO MÚSICO - Palavra de honra, não sei o que dizer.

PEDRO - Oh! Eu vos peço perdão, sois o cantor. Eu direi por vós: É "música, com seu som argentino" porque os músicos não fazem soar ouro:

A música, então, com seu som argentino,
rápida ajuda traz que acalma o sofrimento. (*Sai.*)

PRIMEIRO MÚSICO - Que homem mais insuportável!

SEGUNDO MÚSICO - Que se enforque! Vamos, entraremos por aqui, esperaremos o enterro e ficaremos para jantar. (*Saem.*)

ATO QUINTO

CENA I

Mântua. Uma rua.
Entra Romeu.

ROMEU - Se puder acreditar na aduladora visão do sono, meus sonhos pressagiam próximas e alegres notícias. O senhor de meu peito está placidamente sentado em seu trono e durante todo o dia uma desusada animação me eleva acima da terra com pensamentos acariciadores. Sonhei que minha dama chegava e me encontrava morto (estranho sonho que concede a um morto a faculdade de pensar!), e então ela me insuflava tanta vida com beijos em meus lábios que eu ressuscitava e me tornava um imperador. Ai de mim!... Como não deverá ser doce a posse do ser amado, quando somente a sombra do amor é tão rica de deleites!... (*Entra Baltasar usando botas.*) Notícias de Verona! Que há, Baltasar? Não me trazes cartas do frade? Como está minha dama? Meu pai está passando bem? Julieta está bem? Pergunto-te novamente porque nada pode ir mal se ela passa bem.

BALTASAR - Ela está bem e, assim, nada pode ir mal... O corpo dela jaz adormecido no túmulo dos Capuletos e sua parte imortal vive entre os anjos. Eu mesmo a vi ser enterrada na cripta de seus antepassados e no mesmo instante empreendi viagem para relatar-vos. Oh! Perdoai-me se trago estas tristes notícias, pois tal missão me foi confiada por vós, senhor.

ROMEU - Será possível?... Então, estrelas, não acredito em vosso poder! Já sabes onde moro. Vai procurar-me tinta e papel. Aluga-me cavalos de posta. Parto esta noite.

BALTASAR - Suplico-vos, senhor, tende paciência. Vosso semblante está pálido e violento, pressagiando algum infortúnio.

ROMEU - Estás enganado! Deixa-me e realize o que te pedi... Não trazes para mim cartas do frade?

BALTASAR - Não, meu bondoso senhor.

ROMEU - Não importa. Vai-te e aluga os cavalos. Daqui a pouco, estarei contigo. (*Sai Baltasar.*) Bem Julieta, esta noite descansarei contigo!... Procuremos os meios!... Oh! Mal, como entras rapidamente no coração dos homens desesperados! Recordo-me de um boticário, e muito perto daqui mora, a quem vi não há muito coberto de farrapos, com aspecto tétrico, colhendo plantas medicinais. Descarnadas eram suas faces, uma espantosa miséria havia-o consumido até os ossos e do teto de sua sórdida botica pendiam uma tartaruga, um crocodilo dessecado e outras peles de peixes informes. Nas estantes, discernia-se um miserável amontoado de caixas vazias, potes de terra esverdeada, bexigas e sementes mofadas, pedaços de barbante e velhos pães de rosa escassamente espalhados para fazer mais ostentação. Notando aquela penúria, dirigiu-se a mim: "Se neste momento um homem precisar de um veneno, cuja venda em Mântua [36] é punida com a morte, aqui vive um infeliz miserável que bem poderia ceder-lho". Oh! Essa idéia antecedeu minha necessidade e esse mesmo homem necessitado é quem me deverá vendê-lo! Se bem me lembro, esta deve ser a casa. Como é dia santo, a botica está fechada. Olá! Boticário! (*Entra o Boticário.*)

BOTICÁRIO - Quem está chamando tão alto?

ROMEU - Vem aqui, homem! Vejo que és pobre. Toma. Aí estão quarenta ducados; dá-me uma dose de veneno, uma substância tão forte que, difundindo-se por todas as veias, caia morto quem, farto da vida, a beba e faça sair a alma do corpo com tamanha violência quanto a pólvora inflamada rápida se precipita fora do bojo fatal de um canhão!

BOTICÁRIO - Possuo essas drogas mortais, mas a lei de Mântua pune com a morte quem as fornecer.

ROMEU - Estás tão desprovido de tudo e cheio de infortúnio e temes morrer? A fome está em tuas faces, a necessidade e a opressão assomam famintas em teus olhos, o desprezo e a pobreza estão pendidos de teus ombros, o mundo não é teu amigo, nem tampouco a lei do mundo! O mundo não possui lei para te fazer rico, logo, não sejas mais pobre, mas quebra-a e toma isto!

BOTICÁRIO - Minha pobreza consente, mas não minha vontade.

---

[36] Na Inglaterra, não havia proibição para venda de venenos, daí Shakespeare chama a atenção para este fato.

ROMEU - Pago tua pobreza e não tua vontade.

BOTICÁRIO - Colocai isto no líquido que quiserdes e bebei tudo. Mesmo que tivésseis a potência de vinte homens, cairíeis morto imediatamente.

ROMEU - Aqui está teu ouro, o pior veneno para as almas humanas, causando mais mortes neste mundo detestável do que essas pobres misturas que não ousas vender. Eu te vendo o veneno, tu nada me vendeste. Adeus! Compra alimentos e procura refazer tuas carnes... Vem cordial e não veneno, vem comigo para o túmulo de Julieta. Lá deverei servir-me de ti. (*Saem.*)

CENA II

Cela de Frei Lourenço.
Entra Frei João.

FREI JOÃO - Santo frade franciscano! Irmão! (*Entra Frei Lourenço.*)

FREI LOURENÇO - Parece-me bem ser a voz de Frei João. Bem-vindo de Mântua! Que diz Romeu? Ou, se envia escrito seu modo de pensar, dá-me sua carta.

FREI JOÃO - Ia em busca de um irmão descalço de nossa Ordem, que nesta cidade visitava os enfermos, para que me acompanhasse; mas os guardas da cidade, suspeitando que viéssemos de uma casa onde reinava a peste infecciosa, trancaram as portas e não nos deixaram sair. Assim, minha pressa em partir para Mântua lá ficou parada.

FREI LOURENÇO - Quem levou, então, minha carta para Romeu?

FREI JOÃO - Não pude enviá-la... aqui está ela novamente... nem achar um mensageiro que quisesse trazê-la para vós, tão temerosos estavam com a infecção.

FREI LOURENÇO - Sorte fatal! Por minha Santa Ordem, não era sem significado a carta, pois encerrava uma mensagem de grande importância e cujo descuido pode acarretar graves conseqüências. Frei João, vai buscar-me imediatamente uma alavanca de ferro que levarás logo para minha cela.

FREI JOÃO - Vou logo buscá-la, irmão. (*Sai.*)

FREI LOURENÇO - Agora, preciso ir sozinho ao túmulo. Dentro de três horas, acordará a bela Julieta. Ela me amaldiçoará sabendo que Romeu não teve conhecimento destes fatos! Mas vou escrever novamente para Mântua e até que Romeu chegue, eu a esconderei em minha cela. Pobre cadáver vivo, encerrado na tumba de um morto! (*Sai.*)

CENA III

Cemitério onde se levanta o mausoléu dos Capuletos.
Entram Páris e um pajem, trazendo flores e uma tocha.

PÁRIS - Dá-me essa tocha, rapaz. Sai e permanece distante. Mas, antes, apaga a luz, pois não quero que me vejam. Deita-te ao pé daqueles ciprestes e cola teu ouvido ao solo cavo; assim, nenhum passo pisará a trilha do cemitério, revolvida e frouxa por causa dos túmulos que se cavam, sem que tu escutes. Dá então um assobio para mim. Será o sinal que me advertirá de que alguém se aproxima. Dá-me essas flores. Faze o que digo e anda.

PAJEM - (*À parte.*) Estou quase com medo de ficar só aqui no cemitério. Entretanto, vou arriscar-me. (*Ele se afasta.*)

PÁRIS - Doce flor, teu leito nupcial cubro de flores! Oh! Desgraça! Teu dossel é pó e pedra que com água olorosa, virei regar de noite, ou, então, na falta dela, com as lágrimas destiladas pelos meus prantos. As exéquias que por ti farei celebrar cobrirão de noite teu túmulo de flores, quando terei, então, oportunidade de por ti chorar. (*O pajem assobia.*) O pajem me alerta de que alguém está se aproximando. Que passos malditos vagueiam esta noite para perturbar minhas exéquias e o verdadeiro culto do amor? Como! Com uma tocha? Encobre-me, noite, por alguns instantes! (*Afasta-se. Entram Romeu e Baltasar, com uma tocha, um alvião, etc.*)

ROMEU - Dá-me esse alvião e a barra de ferro. Espera, segura esta carta. De manhã cedo, entrega-a a meu senhor e pai. Dá-me a luz; por tua vida, eu te advirto, ouças o que ouvires, ou vejas o que vires, permanece afastado e não interrompas o que eu estiver fazendo! Se desço a esse leito da morte é, em parte, para ver novamente o rosto de meu amor; mas, principalmente, para tirar de seu dedo morto um precioso anel, que vai servir-me para um uso muito caro. De maneira que, podes sair daqui. Mas se, curioso, retornares para espiar-me, o que poderei fazer em seguida, juro-te pelo céu, é esquartejar-te, membro após membro, e espalhar teus restos por este faminto campo santo! A hora e minhas intenções são cruéis e selvagens, mas furiosas e muito mais inexoráveis do que os tigres famintos ou o oceano rugidor!

BALTASAR - Vou-me embora, senhor, e não vos incomodarei mais.

ROMEU - Só assim me mostrará tua amizade. Pega isto. Vive e sê feliz. Adeus, bondoso camarada.

BALTASAR - (*À parte.*) Mesmo assim, vou ocultar-me perto daqui. Temo seus olhares e receio sua intenção. (*Afasta-se.*)

ROMEU - Tu, detestável mandíbula, seio da morte, saciada com o mais caro pedaço do solo, assim forço tuas maxilas apodrecidas para que se abram e, apesar de tudo, eu te fartarei com mais alimento! (*Abre a sepultura.*)

PÁRIS - Esse é o banido e orgulhoso Montecchio que assassinou o primo de meu amor e de cuja dor, acredita-se, faleceu a linda criatura, e vem agora para cometer alguma torpe profanação nos corpos amortalhados! Vou prendê-lo. (*Aproxima-se.*) Cessa tua ímpia labuta, vil Montecchio! Pode a vingança ser conduzida além da morte? Miserável condenado, considera-te preso! Obedece e vem comigo, pois deves morrer.

ROMEU - Devo morrer, verdadeiramente, e para morrer eu vim!... Bom e gentil mancebo, não tentes um homem desesperado. Foge daqui e deixa-me! Pensa nesses que partiram e que eles te ponham medo. Rogo-te, donzel; não acrescentes um novo pecado sobre minha cabeça, desesperando-me até o frenesi. Vai-te! Pelo céu, gosto mais de ti do que de mim, porque armado contra mim mesmo vim até aqui. Não te detenhas! Foge logo! Vive e dize para o futuro que a clemência de um insano te obrigou a fugir!

PÁRIS - Desafio teus esconjuros e prendo-te, traidor que és.

ROMEU - Queres provocar-me? Defende-te, então, rapaz! (*Lutam.*)

PAJEM - Oh! Meu Deus, estão lutando! Vou chamar a guarda! (*Sai.*)

PÁRIS - Oh! Fui atingido! (*Cai.*) Se tens misericórdia, abre a tumba e coloca-me junto de Julieta. (*Morre.*)

ROMEU - Por minha fé que o farei!... Vejamos de perto esse rosto... Parente de Mercúcio, o nobre Conde Páris!... Que dizia meu criado, na viagem, quando minha alma agitada não podia escutá-lo? Creio que me dizia que Páris ia casar-se com Julieta... Não disse isso, ou será que foi Julieta, imaginei tal coisa?... Oh! Dá-me a mão, tu que, como eu, foste inscrito no livro funesto da desgraça! Eu te enterrarei em um túmulo triunfal! Um túmulo? Não! Uma lanterna, jovem assassinado! Porque aqui descansa Julieta e sua beleza transforma esta cripta em um régio salão de festas, radiante de luz. Morte, repousa, aí, enterrada por um homem morto!... (*Colocando Páris no mausoléu.*) Quantas vezes, quando os homens estão prestes a morrer, experimentam um momento de alegria, que seus guardiães o elegem como o relâmpago precursor da morte! Oh! Como posso chamar isso de um relâmpago? Ó meu amor! Minha querida esposa! A morte que sugou o mel de teu hálito, nenhum poder ainda teve sobre tua beleza! Ainda não foste vencida! A insígnia da beleza revela ainda o carmim em teus lábios e em tuas faces e o pálido estandarte da morte ainda não foi aqui esfraldado!... Teobaldo, és tu quem jaz nessa sangrenta mortalha? Oh! Que maior favor posso fazer por ti do que, com esta mão que encerrou em flor tua juventude, decepar aquele que foi teu inimigo? Perdoa-me, primo! Ah! Querida Julieta! Por que ainda és tão bela? Terei que acreditar que o fantasma incorpóreo da morte está amoroso e que o monstro magro e abominado te guarda nas trevas, reservando-te para ser teu amante? Assim o temo e por isto conservarei-me sempre a teu lado, sem jamais sair deste palácio de noite sombria! Aqui, quero permanecer com os vermes, que são teus servidores! Oh! Aqui estabelecerei minha eterna morada para libertar esta carne, farta do mundo, do jugo do mau influxo das estrelas!... Olhos, olhai uma derradeira vez! Braços, dai vosso último abraço! E vós, ó lábios! Portas da vida, com um legítimo beijo selai o pacto infinito com a morte devoradora! Vem, amargo condutor! Vem, guia repugnante! Tu, desesperado piloto, lança enfim sobre o recife escarpado tua barca exaurida, farta de navegar! Por minha amada! (*Bebe.*) Ó honesto boticário! Tuas drogas são rápidas!... Assim, morro... com um beijo! (*Morre. Entra do outro lado do cemitério, Frei Lourenço, trazendo uma lanterna, uma alavanca e uma pá.*)

FREI LOURENÇO - Que São Francisco proteja-me! Quantas vezes tropeçaram esta noite com as tumbas meus velhos pés! Quem está aí?

BALTASAR - Aqui está alguém, um amigo, que vos conhece bem.

FREI LOURENÇO - Deus te abençoe! Dize-me, meu bom amigo; aquela tocha, que em vão dá luz aos vermes e às vazias caveiras, não arde no mausoléu dos Capuletos?

BALTASAR - Assim é, venerável senhor, e lá está meu amo de quem gostais.

FREI LOURENÇO - Quem é?

BALTASAR - Romeu.

FREI LOURENÇO - Há quanto tempo está lá?

BALTASAR - Mais de meia hora.

FREI LOURENÇO - Vem comigo à cripta.

BALTASAR - Não me atrevo senhor. Meu amo não sabe que estou aqui e me ameaçou terrivelmente de morte, se aqui ficasse para espreitar o que ia ele fazer.

FREI LOURENÇO - Fica então. Irei eu sozinho. O medo se apodera de mim. Oh! Muito temo um lutuoso desenlace!

BALTASAR - Estando eu dormindo ao pé daquele cipreste, sonhei que meu amo e um outro se batiam e que meu amo matava o outro.

FREI LOURENÇO - Romeu! (*Avançando.*) Ai! Ai! Que sangue é este que mancha os umbrais de pedra deste túmulo? Que significam estas espadas banhadas em sangue, sem dono, nesta mansão de paz? (*Penetra no túmulo.*) Romeu! Como está pálido! Quem mais? Como! Páris também? E ensangüentado? Ah! Que hora terrível é culpada por este lastimável infortúnio?... A dama está despertando... (*Julieta acorda.*)

JULIETA - Ó frade consolador! Onde está meu senhor? Lembro-me bem do lugar em que devia estar e exatamente aqui estou. Onde está meu Romeu? (*Barulho no interior.*)

FREI LOURENÇO - Estou escutando um barulho! Senhora, abandonemos este antro de morte, contágio e sonho monstruoso! Um poder superior a nossas forças e que não pudemos evitar frustrou nossos planos! Venha, precisamos sair daqui. Teu esposo aí jaz morto em teu seio; e Páris, também. Vem, eu te farei ingressar em uma comunidade de santas religiosas. Não percas tempo com perguntas, pois a guarda está se aproximando! Vamos, vem, boa Julieta! Não me atrevo a permanecer aqui mais tempo!

JULIETA - Ide, parti então porque não sairei daqui. (*Sai Frei Lourenço.*) Que é isto? Uma taça apertada na mão de meu fiel amor? O veneno, estou vendo, foi a causa de seu prematuro fim!... Oh! Ingrato! Tudo bebeste sem deixar uma só gota amiga que me ajude a seguir-te? Beijarei teus lábios!... Talvez haja neles um resto de veneno para fazer-me morrer como algo reconfortante! (*Beija-o.*) Teus lábios estão quentes!

PRIMEIRO GUARDA - (*Dentro.*) Guia-nos, rapaz! Para que lado?

JULIETA - Que é? Um rumor? Preciso então apressar-me. Oh! Bendita adaga! (*Arrebata a adaga de Romeu.*) Esta é a tua bainha! (*Apunhala-se.*) Enferruja-te aqui e deixa-me falecer! (*Cai sobre o corpo de Romeu e morre. Entra a ronda com o pajem de Páris.*)

PAJEM - O lugar é este; bem ali onde arde a tocha.

PRIMEIRO GUARDA - O chão está ensangüentado. Revistai o cemitério. Ide alguns de vós e prendei quem quer que encontreis... Que espetáculo desolador! Aqui jaz assassinado o conde e Julieta sangrando, quente e recém-morta, depois de haver estado aqui dois dias sepultada! Ide buscar o príncipe; correi a casa dos Capuletos; despertai os Montecchios; outros dêem busca. Vejamos o lugar em que ocorreram estes desastres; mas, como se originaram, não podemos saber sem conhecer as circunstâncias. (*Voltam alguns guardas com Baltasar.*)

SEGUNDO GUARDA - Aqui está o criado de Romeu! Nós o encontramos no cemitério.

PRIMEIRO GUARDA - Guardai-o bem até que chegue o príncipe. (*Volta Frei Lourenço com outro guarda.*)

TERCEIRO GUARDA - Aqui está um frade que treme, suspira e chora. Nós lhe tiramos este alvião e esta pá quando ia por este lado do cemitério.

PRIMEIRO GUARDA - Grave suspeita! Prendei também o frade. (*Entram o Príncipe e o séquito.*)

PRÍNCIPE - Que infelicidade tão cedo se levantou que retira nossa pessoa de seu matinal repouso? (*Entram Capuleto, a senhora Capuleto e outros.*)

CAPULETO - Que aconteceu, que estão já gritando assim por todas as partes?

SENHORA CAPULETO - O povo nas ruas grita "Romeu", alguns, "Julieta" e outros, ainda, "Páris". Todos correm com grandes clamores em direção de nosso mausoléu.

PRÍNCIPE - Que terror é esse que causa sobressaltos a nossos ouvidos?

PRIMEIRO GUARDA - Soberano, aqui jaz o Conde de Páris assassinado, Romeu está morto e Julieta, já antes morta, quente pois acaba de ser morta.

PRÍNCIPE - Procurai, indagai e diligenciai saber como ocorreu esta horrenda matança.

PRIMEIRO GUARDA - Aqui estão um frade e o criado do defunto Romeu com várias ferramentas para abrir a tumba desses mortos.

CAPULETO - Oh! Céus! Oh! Minha esposa, olhai como sangra nossa filha! Esta adaga se equivocou, pois, vede, sua bainha está vazia no cinto de Montecchio e erradamente se embainhou no seio de minha filha!

SENHORA CAPULETO - Ai de mim! Este espetáculo de morte é como um sino que chama minha velhice para o sepulcro! (*Entram Montecchio e outros.*)

PRÍNCIPE - Aproxima-te, Montecchio, pois cedo te levantaste para ver teu filho tombado ainda mais cedo.

MONTECCHIO - Ai! Meu suserano, minha esposa faleceu esta noite! A dor pelo seu filho exilado fez parar seu alento. Que nova desgraça conspira contra minha idade?

PRÍNCIPE - Olha e verás!

MONTECCHIO - Ó tu, leviano! Que modos são esses de precipitar-te para o túmulo antes de teu pai?

PRÍNCIPE - Sela por um instante a boca do ultraje enquanto esclarecemos estas ambigüidades e ficamos sabendo sua origem, causa e verdadeira seqüência; então, serei o chefe de vossas dores e vos conduzirei até a morte. Calma por enquanto para que a desventura seja escrava da resignação. Fazei comparecer as partes suspeitas.

FREI LOURENÇO - Eu sou a principal, se bem que a menos capaz de praticar semelhantes atos. Entretanto, sou o mais suspeito porque a hora e o lugar depõem contra mim nessa horrível carnificina, e aqui estou disposto a acusar-me e a defender-me, sendo eu mesmo condenado e desculpado.

PRÍNCIPE - Então, dizei-nos prontamente o que sabeis do assunto.

FREI LOURENÇO - Vou ser breve, pois o curto prazo que me resta de vida não é tão grande quanto o sombrio relato da história. Romeu aqui morto era esposo dessa Julieta e ela, ali morta, era fiel esposa deste Romeu. Eu os casei e o dia em que em segredo se casaram, foi o último de Teobaldo, cuja morte prematura foi causa de que o novel esposo viesse a ser banido desta cidade, pelo qual, e não por Teobaldo, sofria Julieta. Vós, a fim de levantar-lhe o assédio da dor, prometeram-na ao Conde Páris, procurando casá-la com ele, contra a vontade dela. Então, veio ter comigo e, com o semblante perturbado, implorou-me que encontrasse algum meio para livrá-la desse segundo matrimônio ou, do contrário, ali mesmo, em minha cela, se mataria. Então, instruído por minha arte, dei-lhe uma poção soporífera que agiu como eu esperava, pois nela produziu a aparência da morte. Enquanto isso, escrevi a Romeu, que viesse aqui esta tenebrosa noite para ajudar-me a retirar Julieta de sua falsa sepultura, quando o efeito da poção tivesse cessado. Mas, o portador de minha carta, Frei João, foi detido por um acidente e, ontem de noite, devolveu-me a missiva. Então, sozinho, na hora prevista para o despertar de Julieta, vim tirá-la da cripta de seus antepassados, com a intenção de mantê-la, secretamente, na minha cela, até que achasse ocasião de mandar avisar Romeu. Mas, ao chegar, breves minutos antes do instante em que deveria despertar, aqui jaziam mortos prematuramente o nobre Páris e o fiel Romeu. Ela desperta; supliquei-lhe que saísse daqui e suportasse com paciência este golpe dos céus; mas, naquele momento, um rumor se fez ouvir que me obrigou a fugir do mausoléu sobressaltado. Ela, completamente desesperada, negou-se a seguir-me e, segundo tudo faz prever, atentou violentamente contra a própria vida. Eis tudo que sei. Quanto ao que respeito diz ao casamento, a ama estava avisada. De modo que, se neste acontecimento alguma coisa saiu mal por minha culpa, sacrificai minha vida, já caduca, poucas horas antes do momento fatal, sob o peso da mais severa lei.

PRÍNCIPE - Sempre o consideramos como um santo homem. Onde está o criado de Romeu? Que pode dizer?

BALTASAR - Levei para meu amo notícias da morte de Julieta e então, a toda pressa, veio de Mântua até aqui, a este mesmo mausoléu. Recomendou-me que remetesse pela manhã esta carta a seu pai e, entrando no túmulo, ameaçou-me de morte se não partisse para deixá-lo sozinho.

PRÍNCIPE - Dá-me a carta. Quero vê-la. Onde está o pajem do conde, que foi chamar os guardas? Que fazia teu patrão neste lugar, rapaz?

PAJEM - Veio com flores para juncar a sepultura de sua dama. Disse-me que ficasse à parte, o que fiz. Então, apareceu um homem com uma luz para abrir a sepultura. Pouco depois, meu amo tirou a espada contra ele, e, então, saí correndo para chamar a guarda.

PRÍNCIPE - Esta carta mostra que são verdadeiras as palavras do frade. Nela estão narrados os incidentes de tais amores, a falsa notícia da morte de Julieta e aqui ele descreve que comprou veneno de um pobre boticário e veio para este mausoléu para morrer e repousar ao lado de Julieta. Onde estão esses inimigos? Capuleto! Montecchio! Vede o flagelo que caiu sobre vosso ódio e como os céus acharam meio de, pelo amor, destruir vossas alegrias! E eu, por haver tolerado vossas discórdias, perdi também dois parentes! Todos nós fomos punidos!

CAPULETO - Ó irmão Montecchio, dá-me tua mão! Este é o dote de minha filha, pois nada mais posso rogar.

MONTECCHIO - Mas eu posso oferecer-te mais. Mandarei levantar-lhe uma estátua de ouro puro, para que, enquanto Verona assim se chamar, nenhuma estátua seja mais apreciada do que a da constante e fiel Julieta.

CAPULETO - Igualmente rica será a de Romeu ao lado de sua senhora. Pobres vítimas de nossa inimizade!

PRÍNCIPE - Uma lúgubre paz acompanha esta alvorada. O sol não exibirá seu rosto por causa de nosso luto. Saiamos daqui para falarmos mais demoradamente sobre estes tristes acontecimentos. Uns serão perdoados e outros punidos, pois nunca houve história mais triste do que esta de Julieta e Romeu. (*Saem.*)

Índice

93 • Complemento de Leitura

COLEÇÃO A OBRA-PRIMA DE CADA AUTOR

EDITORA MARTIN CLARET
R. Alegrete, 62 - Bairro Sumaré - São Paulo -SP
Cep: 01254-010 - Tel.: (11) 3672-8144 - Fax.: (11) 3673-7146
www.martinclaret.com.br

Nome ________________________________

Série _____ Grau _____ Professor ________________

Escola ________________________________

Esclarecimentos:

Este instrumento de trabalho tem por principal objetivo explorar a leitura, trazendo ao leitor a oportunidade de refletir e de confrontar-se com o texto. Ao nos depararmos com uma obra literária, não podemos desconsiderar o universo contextual do autor e o tipo de reprodução que ele realiza. Passado e presente, estilos individuais, de época, conceitos e preconceitos, tudo deve ser confrontado e analisado para entrarmos em contato profundo com uma obra. Por mais que a arte queira sobreviver por si própria, ela se tornará vazia e sem sentido se não trouxer marcas de humanidade.

A Editora Martin Claret tem como lema "pensar é causar", e lhe convida a trilhar os horizontes pedagógicos que aí estão para fazê-lo "ser mais" e "causar" — e isso quer dizer, operar transformações pessoais e sociais.

Sobre o autor e a obra

Shakespeare é tido até hoje como o maior dramaturgo da literatura inglesa. Sua produção data do final do século XVI e início do século XVII. Sabe-se que as companhias de teatro compravam as peças e exploravam o direito sobre sua encenação enquanto interessassem ao público, este fato fez com que restassem poucos registros escritos das obras deste período. O que se tem são anotações feitas clandestinamente durante o espetáculo e textos que foram ditados por atores que imigravam para outras companhias de teatro. Apesar da dificuldade de informações, o valor e autoria das peças de Shakespeare são inegáveis. Pode-se dizer que seus personagens revelam características da alma e essência humanas como o ciúme, mesquinharias, traições, paixões, desconfianças e a disputa pelo poder. Personagens como Romeu e Julieta são fontes de inspiração até nossos dias. Quem não conhece, pelo menos por cima, a história dos adolescentes apaixonados que desafiam o ódio em nome do amor? Quem não conhece a triste história de Otelo que mata sua inocente e apaixonada esposa por ciúme? E Hamlet, quem não acompanha a dor do jovem ao descobrir ter sido seu pai vítima de uma cilada do irmão? Todos nós, de algum modo, já "lemos" Shakespeare. Desta vez, a Editora Martin Claret coloca em suas mãos mais uma oportunidade de mergulhar neste universo que há mais de quatro séculos vem encantando a literatura. Boa leitura.

Reflexões

1. Quais as características sociais que podemos deduzir por meio da leitura desta peça de Shakespeare?

____

____

2. Ao ser questionada pela mãe sobre sua postura diante da possibilidade do casamento, Julieta responde: "— É uma honra com a qual não sonho." Seguindo a leitura deste trecho que conclusões podemos tirar sobre a personalidade de Julieta?

3. Por que razão Romeu teria invadido a festa dos Capuletos na noite em que conheceu Julieta?

4. "— Meu único amor nascido de meu único ódio! Cedo demais o vi, sem conhecê-lo, e tarde demais o conheci ! Prodigioso é para mim o nascimento do amor, para que deva amar meu inimigo detestado!" Qual o significado destas palavras de Julieta?

5. "— Com as leves asas do amor, transpus estes muros, porque os limites de pedra não servem de empecilho para o amor. E o que o amor pode fazer, o amor ousa tentar..." (p.54) Pelas palavras de Romeu, defina o que seria o amor para estes jovens impulsivos.

6. Ainda no jardim da família Capuleto, Romeu jura seu amor inúmeras vezes a Julieta. Todas as suas juras são recusadas por Julieta, por que razão? "Não jures pela lua, a inconstante lua que muda todos os meses em sua órbita circular, a fim de que teu amor não se mostre igualmente variável!"(p. 55)

7. Qual teria sido a intenção de Frei Lourenço ao apoiar o amor dos dois jovens?

8. Você já leu a história *Amor de Perdição*, escrita por Camilo

Castelo Branco, do período romântico? Caso ainda não tenha lido faça uma breve pesquisa sobre seu enredo e estabeleça um paralelo entre as duas histórias.

9. Por que a peça de Shakespeare é classificada como tragédia? Identifique as características deste gênero literário na obra *Romeu e Julieta*.

10. *Sugestão de redação*: Elabore um texto dramático que conte uma história de amor como a de *Romeu e Julieta*. Contudo seu cenário deve ser sua cidade. O tempo da narrativa deve ser o contemporâneo. Faça todas as adaptações necessárias e lembre-se: o final deve ser o característico de uma tragédia.

11. O que é um dramaturgo e o que vem a ser o texto dramático?

Suporte pedagógico editorial:

CRISTINA SPECHOTO: spechoto@martinclaret.com.br

Relação dos Volumes Publicados

1. **Dom Casmurro**
Machado de Assis
2. **O Príncipe**
Maquiavel
3. **Mensagem**
Fernando Pessoa
4. **O Lobo do Mar**
Jack London
5. **A Arte da Prudência**
Baltasar Gracián
6. **Iracema / Cinco Minutos**
José de Alencar
7. **Inocência**
Visconde de Taunay
8. **A Mulher de 30 Anos**
Honoré de Balzac
9. **A Moreninha**
Joaquim Manuel de Macedo
10. **A Escrava Isaura**
Bernardo Guimarães
11. **As Viagens - "Il Milione"**
Marco Polo
12. **O Retrato de Dorian Gray**
Oscar Wilde
13. **A Volta ao Mundo em 80 Dias**
Júlio Verne
14. **A Carne**
Júlio Ribeiro
15. **Amor de Perdição**
Camilo Castelo Branco
16. **Sonetos**
Luís de Camões
17. **O Guarani**
José de Alencar
18. **Memórias Póstumas de Brás Cubas**
Machado de Assis
19. **Lira dos Vinte Anos**
Álvares de Azevedo
20. **Apologia de Sócrates / Banquete**
Platão
21. **A Metamorfose/Carta a Meu Pai/Um Artista da Fome**
Franz Kafka
22. **Assim Falou Zaratustra**
Friedrich Nietzsche
23. **Triste Fim de Policarpo Quaresma**
Lima Barreto
24. **A Ilustre Casa de Ramires**
Eça de Queirós
25. **Memórias de um Sargento de Milícias**
Manuel Antônio de Almeida
26. **Robinson Crusoé**
Daniel Defoe
27. **Espumas Flutuantes**
Castro Alves
28. **O Ateneu**
Raul Pompéia
29. **O Noviço / O Juiz de Paz da Roça / Quem Casa Quer Casa**
Martins Pena
30. **A Relíquia**
Eça de Queirós
31. **O Jogador**
Dostoiévski
32. **Histórias Extraordinárias**
Edgar Allan Poe
33. **Os Lusíadas**
Luís de Camões
34. **As Aventuras de Tom Sawyer**
Mark Twain
35. **Bola de Sebo e Outros Contos**
Guy de Maupassant
36. **A República**
Platão
37. **Elogio da Loucura**
Erasmo de Rotterdam
38. **Caninos Brancos**
Jack London
39. **Hamlet**
William Shakespeare
40. **A Utopia**
Thomas More
41. **O Processo**
Franz Kafka
42. **O Médico e o Monstro**
Robert Louis Stevenson
43. **Ecce Homo**
Friedrich Nietzsche
44. **O Manifesto do Partido Comunista**
Marx e Engels
45. **Discurso do Método / Regras para a Direção do Espírito**
René Descartes
46. **Do Contrato Social**
Jean-Jacques Rousseau
47. **A Luta pelo Direito**
Rudolf von Ihering
48. **Dos Delitos e das Penas**
Cesare Beccaria
49. **A Ética Protestante e o Espírito do Capitalismo**
Max Weber
50. **O Anticristo**
Friedrich Nietzsche
51. **Os Sofrimentos do Jovem Werther**
Goethe
52. **As Flores do Mal**
Charles Baudelaire
53. **Ética a Nicômaco**
Aristóteles
54. **A Arte da Guerra**
Sun Tzu
55. **Imitação de Cristo**
Tomás de Kempis
56. **Cândido ou o Otimismo**
Voltaire
57. **Rei Lear**
William Shakespeare
58. **Frankenstein**
Mary Shelley
59. **Quincas Borba**
Machado de Assis
60. **Fedro**
Platão
61. **Política**
Aristóteles
62. **A Viuvinha / Encarnação**
José de Alencar
63. **As Regras do Método Sociológico**
Émile Durkheim
64. **O Cão dos Baskervilles**
Sir Arthur Conan Doyle
65. **Contos Escolhidos**
Machado de Assis
66. **Da Morte / Metafísica do Amor / Do Sofrimento do Mundo**
Arthur Schopenhauer
67. **As Minas do Rei Salomão**
Henry Rider Haggard
68. **Manuscritos Econômico-Filosóficos**
Karl Marx
69. **Um Estudo em Vermelho**
Sir Arthur Conan Doyle
70. **Meditações**
Marco Aurélio
71. **A Vida das Abelhas**
Maurice Materlinck
72. **O Cortiço**
Aluísio Azevedo
73. **Senhora**
José de Alencar
74. **Brás, Bexiga e Barra Funda / Laranja da China**
Antônio de Alcântara Machado
75. **Eugênia Grandet**
Honoré de Balzac
76. **Contos Gauchescos**
João Simões Lopes Neto
77. **Esaú e Jacó**
Machado de Assis
78. **O Desespero Humano**
Sören Kierkegaard
79. **Dos Deveres**
Cícero
80. **Ciência e Política**
Max Weber
81. **Satíricon**
Petrônio
82. **Eu e Outras Poesias**
Augusto dos Anjos
83. **Farsa de Inês Pereira / Auto da Barca do Inferno / Auto da Alma**
Gil Vicente
84. **A Desobediência Civil e Outros Escritos**
Henry David Toreau
85. **Para Além do Bem e do Mal**
Friedrich Nietzsche
86. **A Ilha do Tesouro**
R. Louis Stevenson
87. **Marília de Dirceu**
Tomás A. Gonzaga
88. **As Aventuras de Pinóquio**
Carlo Collodi
89. **Segundo Tratado Sobre o Governo**
John Locke
90. **Amor de Salvação**
Camilo Castelo Branco
91. **Broquéis/Faróis/Últimos Sonetos**
Cruz e Souza
92. **I-Juca-Pirama / Os Timbiras / Outros Poemas**
Gonçalves Dias
93. **Romeu e Julieta**
William Shakespeare
94. **A Capital Federal**
Arthur Azevedo
95. **Diário de um Sedutor**
Sören Kierkegaard
96. **Carta de Pero Vaz Caminha a El-Rei Sobre o Achamento do Brasil**
97. **Casa de Pensão**
Aluísio Azevedo
98. **Macbeth**
William Shakespeare
99. **Édipo Rei/Antígona**
Sófocles
100. **Lucíola**
José de Alencar
101. **As Aventuras de Sherlock Holmes**
Sir Arthur Conan Doyle
102. **Bom-Crioulo**
Adolfo Caminha
103. **Helena**
Machado de Assis
104. **Poemas Satíricos**
Gregório de Matos

105. Escritos Políticos / A Arte da Guerra
Maquiavel

106. Ubirajara
José de Alencar

107. Diva
José de Alencar

108. Eurico, o Presbítero
Alexandre Herculano

109. Os Melhores Contos
Lima Barreto

110. A Luneta Mágica
Joaquim Manuel de Macedo

111. Fundamentação da Metafísica dos Costumes e Outros Escritos
Immanuel Kant

112. O Príncipe e o Mendigo
Mark Twain

113. O Domínio de Si Mesmo Pela Auto-Sugestão Consciente
Émile Coué

114. O Mulato
Aluísio Azevedo

115. Sonetos
Florbela Espanca

116. Uma Estadia no Inferno / Poemas / Carta do Vidente
Arthur Rimbaud

117. Várias Histórias
Machado de Assis

118. Fédon
Platão

119. Poesias
Olavo Bilac

120. A Conduta para a Vida
Ralph Waldo Emerson

121. O Livro Vermelho
Mao Tsé-Tung

122. Oração aos Moços
Rui Barbosa

123. Otelo, o Mouro de Veneza
William Shakespeare

124. Ensaios
Ralph Waldo Emerson

125. De Profundis / Balada do Cárcere de Reading
Oscar Wilde

126. Crítica da Razão Prática
Immanuel Kant

127. A Arte de Amar
Ovídio Naso

128. O Tartufo ou O Impostor
Molière

129. Metamorfoses
Ovídio Naso

130. A Gaia Ciência
Friedrich Nietzsche

131. O Doente Imaginário
Molière

132. Uma Lágrima de Mulher
Aluísio Azevedo

133. O Último Adeus de Sherlock Holmes
Sir Arthur Conan Doyle

134. Canudos - Diário de Uma Expedição
Euclides da Cunha

135. A Doutrina de Buda
Siddharta Gautama

136. Tao Te Ching
Lao-Tsé

137. Da Monarquia / Vida Nova
Dante Alighieri

138. A Brasileira de Prazins
Camilo Castelo Branco

139. O Velho da Horta/Quem Tem Farelos?/Auto da Índia
Gil Vicente

140. O Seminarista
Bernardo Guimarães

141. O Alienista
Machado de Assis

142. Sonetos
Manuel du Bocage

143. O Mandarim
Eça de Queirós

144. Noite na Taverna/Macário
Álvares de Azevedo

145. Viagens na Minha Terra
Almeida Garrett

146. Sermões Escolhidos
Padre Antonio Vieira

147. Os Escravos
Castro Alves

148. O Demônio Familiar
José de Alencar

149. A Mandrágora / Belfagor, o Arquidiabo
Maquiavel

150. O Homem
Aluísio Azevedo

151. Arte Poética
Aristóteles

152. A Megera Domada
William Shakespeare

153. Alceste/Electra/Hipólito
Eurípedes

154. O Sermão da Montanha
Huberto Rohden

155. O Cabeleira
Franklin Távora

156. Rubáiyát
Omar Khayyám

157. Luzia-Homem
Domingos Olímpio

158. A Cidade e as Serras
Eça de Queirós

159. A Retirada da Laguna
Visconde de Taunay

160. A Viagem ao Centro da Terra
Júlio Verne

161. Caramuru
Frei Santa Rita Durão

162. Clara dos Anjos
Lima Barreto

163. Memorial de Aires
Machado de Assis

164. Bhagavad Gita
Krishna

165. O Profeta
Khalil Gibran

166. Aforismos
Hipócrates

167. Kama Sutra
Vatsyayana

168. O Livro da Jângal
Rudyard Kipling

169. De Alma para Alma
Huberto Rohden

170. Orações
Cícero

171. Sabedoria das Parábolas
Huberto Rohden

172. Salomé
Oscar Wilde

173. Do Cidadão
Thomas Hobbes

174. Porque Sofremos
Huberto Rohden

175. Einstein: o Enigma do Universo
Huberto Rohden

176. A Mensagem Viva do Cristo
Huberto Rohden

177. Mahatma Gandhi
Huberto Rohden

178. A Cidade do Sol
Tommaso Campanella

179. Setas para o Infinito
Huberto Rohden

180. A Voz do Silêncio
Helena Blavatsky

181. Frei Luís de Sousa
Almeida Garrett

182. Fábulas
Esopo

183. Cântico de Natal/ Os Carrilhões
Charles Dickens

184. Contos
Eça de Queirós

185. O Pai Goriot
Honoré de Balzac

186. Noites Brancas e Outras Histórias
Dostoiévski

187. Minha Formação
Joaquim Nabuco

188. Pragmatismo
William James

189. Discursos Forenses
Enrico Ferri

190. Medéia
Eurípedes

191. Discursos de Acusação
Enrico Ferri

192. A Ideologia Alemã
Marx & Engels

193. Prometeu Acorrentado
Ésquilo

194. Iaiá Garcia
Machado de Assis

195. Discursos no Instituto dos Advogados Brasileiros / Discurso no Colégio Anchieta
Rui Barbosa

196. Édipo em Colono
Sófocles

197. A Arte de Curar pelo Espírito
Joel S. Goldsmith

198. Jesus, o Filho do Homem
Khalil Gibran

199. Discurso sobre a Origem e os Fundamentos da Desigualdade entre os Homens
Jean-Jacques Rousseau

200. Fábulas
La Fontaine

201. O Sonho de uma Noite de Verão
William Shakespeare

202. Maquiavel, o Poder
José Nivaldo Junior

203. Ressurreição
Machado de Assis

204. O Caminho da Felicidade
Huberto Rohden

205. A Velhice do Padre Eterno
Guerra Junqueiro

206. O Sertanejo
José de Alencar

207. Gitanjali
Rabindranath Tagore

208. Senso Comum
Thomas Paine

209. Canaã
Graça Aranha

210. O Caminho Infinito
Joel S. Goldsmith

211. Pensamentos
Epicuro

212. A Letra Escarlate
Nathaniel Hawthorne

213. Autobiografia
Benjamin Franklin

214. Memórias de Sherlock Holmes
Sir Arthur Conan Doyle

215. O Dever do Advogado / Posse de Direitos Pessoais
Rui Barbosa

216. O Tronco do Ipê
José de Alencar

217. O Amante de Lady Chatterley
D. H. Lawrence

218. Contos Amazônicos
Inglez de Souza

219. A Tempestade
William Shakespeare

220. Ondas
Euclides da Cunha

221. Educação do Homem Integral
Huberto Rohden

222. Novos Rumos para a Educação
Huberto Rohden

223. Mulherzinhas
Louise May Alcott

224. A Mão e a Luva
Machado de Assis

225. A Morte de Ivan Ilicht / Senhores e Servos
Leon Tolstói

226. Álcoois
Apollinaire

227. Pais e Filhos
Ivan Turguêniev

228. Alice no País das Maravilhas
Lewis Carroll

229. À Margem da História
Euclides da Cunha

230. Viagem ao Brasil
Hans Staden

231. O Quinto Evangelho
Tomé

232. Lorde Jim
Joseph Conrad

233. Cartas Chilenas
Tomás Antônio Gonzaga

235. Do Cativeiro Babilônico da Igreja
Martinho Lutero

236. O Coração das Trevas
Joseph Conrad

237. Thais
Anatole France

238. Andrômaca / Fedra
Racine

239. As Catilinárias
Cícero

240. Recordações da Casa dos Mortos
Dostoiévski

241. O Mercador de Veneza
William Shakespeare

242. A Filha do Capitão / A Dama de Espadas
Aleksandr Púchkin

243. Orgulho e Preconceito
Jane Austen

244. A Volta do Parafuso
Henry James

245. O Gaúcho
José de Alencar

246. Tristão e Isolda
Lenda Medieval Celta de Amor

247. Poemas Completos de Alberto Caeiro
Fernando Pessoa

248. Maiakósvski
Vida e Poesia

249. Sonetos
William Shakespeare

250. Poesia de Ricardo Reis
Fernando Pessoa

251. Papéis Avulsos
Machado de Assis

252. Contos Fluminenses
Machado de Assis

254. A Oração da Coroa
Demóstenes

255. O Castelo
Franz Kafka

256. O Trovejar do Silêncio
Joel S. Goldsmith

257. Alice na Casa dos Espelhos
Lewis Carrol

258. Miséria da Filosofia
Karl Marx

259. Júlio César
William Shakespeare

260. Antônio e Cleópatra
William Shakespeare

261. Filosofia da Arte
Huberto Rohden

262. A Alma Encantadora das Ruas
João do Rio

263. A Normalista
Adolfo Caminha

264. Pollyanna
Eleanor H. Porter

265. As Puplilas do Senhor Reitor
Júlio Diniz

266. As Primaveras
Casimiro de Abreu

Série Ouro
(Livros com mais de 400 p.)

1. Leviatã
Thomas Hobbes

2. A Cidade Antiga
Fustel de Coulanges

3. Crítica da Razão Pura
Immanuel Kant

4. Confissões
Santo Agostinho

5. Os Sertões
Euclides da Cunha

6. Dicionário Filosófico
Voltaire

7. A Divina Comédia
Dante Alighieri

8. Ética Demonstrada à Maneira dos Geômetras
Baruch de Spinoza

9. Do Espírito das Leis
Montesquieu

10. O Primo Basílio
Eça de Queirós

11. O Crime do Padre Amaro
Eça de Queirós

12. Crime e Castigo
Dostoiévski

13. Fausto
Goethe

14. O Suicídio
Émile Durkheim

15. Odisséia
Homero

16. Paraíso Perdido
John Milton

17. Drácula
Bram Stocker

18. Ilíada
Homero

19. As Aventuras de Huckleberry Finn
Mark Twain

20. Paulo – O 13º Apóstolo
Ernest Renan

21. Eneida - *Virgílio*

22. Pensamentos
Blaise Pascal

23. A Origem das Espécies
Charles Darwin

24. Vida de Jesus
Ernest Renan

25. Moby Dick
Herman Melville

26. Os Irmãos Karamazovi
Dostoiévski

27. O Morro dos Ventos Uivantes
Emily Brontë

28. Vinte Mil Léguas Submarinas
Júlio Verne

29. Madame Bovary
Gustave Flaubert

30. O Vermelho e o Negro
Stendhal

31. Os Trabalhadores do Mar
Victor Hugo

32. A Vida dos Doze Césares
Suetônio

34. O Idiota
Dostoiévski

35. Paulo de Tarso
Huberto Rohden

36. O Peregrino
John Bunyan

37. As Profecias
Nostradamus

38. Novo Testamento
Huberto Rohden

39. O Corcunda de Notre Dame
Victor Hugo

40. Arte de Furtar
Anônimo do século XVII

41. Germinal
Émile Zola

42. Folhas de Relva
Walt Whitman

43. Ben-Hur — Uma História dos Tempos de Cristo
Lew Wallace

44. Os Maias
Eça de Queirós

45. O Livro da Mitologia
Thomas Bulfinch

47. Poesia de Álvaro de Campos
Fernando Pessoa

48. Jesus Nazareno
Huberto Rohden

49. Grandes Esperanças
Charles Dickens

50. A Educação Sentimental
Gustave Flaubert

53. Os Miseráveis (Volume I)
Victor Hugo

54. Os Miseráveis (Volume II)
Victor Hugo

55. Dom Quixote de La Mancha (Volume I)
Miguel de Cervantes

56. Dom Quixote de La Mancha (Volume II)
Miguel de Cervantes